BILLY

suhrkamp taschenbuch 4741

Billy wächst behütet in Duffmore, einer Kleinstadt in Schottland, auf. In der Familie seines Onkels und seiner Tante. Seine Hippieeltern haben sich kurz nach seiner Geburt mit einer Überdosis von der Welt verabschiedet. Von ihnen hat er die Liebe zur Musik geerbt. Zu den Beatles, den Ramones und Franz Ferdinand. Vom Onkel die Lust am Philosophieren. Sein Lieblingsphilosoph ist Nietzsche. Mit 22 Jahren tritt er in die Firma der Familie ein, eine Firma, die Auftragsmorde erledigt. Und für Gerechtigkeit sorgt, denn ermordet werden nur Mörder. Als Billy das erste Mal den Schalldämpfer auf seine Walther steckt, denkt er an Nietzsche, den »großen Immoralisten, den Verbrecher, den Antichrist«. Danach fällt ihm sein Job leichter.

einzlkind ist ein Bestsellerautor. 2010 erschien sein Roman *Harold*, 2013 *Gretchen*.

einzlkind

# BILLY

Roman
Suhrkamp

Erste Auflage 2017
suhrkamp taschenbuch 4741
Suhrkamp Verlag Berlin 2017
© Insel Verlag Berlin 2015
Suhrkamp Taschenbuch Verlag
Umschlagfoto: ka/einzlkind, instagram.com/teameinzlkind
Umschlaggestaltung: hißmann, heilmann, hamburg
Druck und Bindung: CPI – Ebner & Spiegel, Ulm
Printed in Germany
ISBN 978-3-518-46741-1

»Is it actually okay to kill somebody?«
»Of course my dear.«

**1** Du siehst aus, als würde das Ende dir Ungemach bereiten. Deine Hände zittern. Du schwitzt. Ich kann es sehen. Und ich kann es riechen. Ein leicht säuerlicher Duft. Mit einer Spur Orange. Billiges Deo aus chemischen Verbindungen.

Du hast Angst.

So ganz alleine.

Hier.

Jetzt.

Nicht weinen, bitte nicht.

Wir wollen doch tapfer sein.

Es ist immer das Gleiche, wenn ihr merkt, dass es kein Spiel ist, kein Bluff, dass es keinen Ausweg gibt und niemand euch aus diesem dunklen Traum erwecken wird. Kein Superheld wird kommen. Keine Rettung. Kein Vergeben. Nirgends. Erst lacht ihr, anfangs unsicher, dann wimmernd. Und dann möchtet ihr bezahlen. Mit Geld. Aber damit könnt ihr nicht bezahlen. Geld hat keinen Wert. Nicht hier und nicht jetzt.

Vier Stunden habe ich dir zugehört. Ich höre immer zu. Das bin ich euch schuldig. Außerdem bin ich neugierig. Ich will wissen, warum ihr es getan habt, wie eure Kindheit war, wo ihr herkommt, was euch geprägt hat. Denn darum geht es doch, um die Ursache, um das Warum. Aufregend ist es selten, interessant, ja, das schon.

Manchmal seid ihr mir vertraut. Nach dieser doch recht kurzen Zeit. Oft erfahre ich mehr über euch, als eure Familie oder eure Freunde je über euch erfahren. Bei manchen sprudelt es nur so heraus. Bei anderen ist es ein permanentes Fragen und Nachhaken. Aber es reicht, um mir ein Bild zu machen. Einen Schnappschuss. Zwölf dieser Bilder habe ich schon. Sie sind für immer in meinem Kopf. Und manchmal hole ich sie hervor, und dann erinnere ich mich. An euer Lachen, an euer Wüten, an euer Zweifeln und an euer Staunen.

Und ich erinnere mich an noch etwas.

Etwas viel Intensiveres.

An das Geschenk.

An die Stille.

Danach.

Ich schaue lange in deine Augen. Ich hoffe jedes Mal aufs Neue, eure Seele zu sehen, in diesen letzten Momenten. Wenn nicht jetzt, wann dann. Deine Augen sind braun. Hellbraun. Sie sind groß. Wie auch die schwarzen Pupillen. Augen, in die man versinken kann. Aber ich versinke nicht.

*Hurt* hast du dir gewünscht. Von dem Mann in Schwarz. Zum Abschied. Gute Wahl. Ich tippe auf Play.

Es ist Zeit.

Ich stehe auf und schiebe den Stuhl nach hinten. Er knirscht über den Boden. Schwarze Striemen bleiben zurück.

Draußen quaken Enten. Die Idylle so nah. Sag mir, wo die Blumen sind.

Ich greife unter mein Jackett und ziehe die Walther aus dem Halfter. Die P99.

Du ruckelst mit den Händen am Stuhl. Warum machst du das? Es nutzt nichts. Sie sind gefesselt. Mit Gaffa. Es sind schöne Hände. Du hättest Pianist werden sollen. Wolltest du nicht. Jetzt ist es zu spät. Du wirst es zeitlich nicht mehr schaffen.

Ist es richtig? Jedes Mal stelle ich mir diese Frage. Immer noch. Dabei kenne ich die Antwort. In tausend Varianten. Und wenn ich es nüchtern betrachte, dann ist meine Aufgabe, meine Berufung, nicht einmal besonders außergewöhnlich.

Jeden Tag sterben 1500 Menschen durch Waffengewalt. Eine halbe Million im Jahr. Kriege nicht mitgezählt.

Ist das viel?

Oder wenig?

Oder egal?

Ich weiß es nicht. Ich weiß nur, dass Mord etwas Alltägliches ist. Immer schon. Mord ist menschlich. Den Begriff der Unmenschlichkeit gibt es streng genommen gar nicht. Kein Verhalten, keine Tat, kein noch so abscheuliches Verbrechen ist unmenschlich. Unmenschlich sind Tiere. Oder Gegenstände. Der Mensch ist es nicht. Nie. Egal, was er tut. Atypisch, ja. Aber unmenschlich? Nein. Er ist, wie er ist, und er ist nicht, wie er in Bilderbüchern gemalt wird und wie ihn der gute Mensch gerne sähe. Das Böse ist menschlich. Seit Anbeginn.

Du warst ein Heiliger. Erlöst hast du sie. All die Frauen, die unrein waren. Und nie wolltest du Anerkennung für all die Mühsal, kein Lob und keine Dankbarkeit, natürlich nicht. Bescheidenheit ist deine Zierde, hast du gesagt, im Hintergrund agieren, nicht klagen und nur kein Aufsehen erregen.

Aber keine Sorge. Niemand wird etwas hören. Ich suche immer Orte aus, die ein Geheimnis für sich behalten können. Einsame Häuser, unterirdische Bunker, verlassene Scheunen. Verschwiegenheit muss sein. Denn auch ich möchte kein Aufsehen erregen.

Ich drehe den Schalldämpfer auf die Walther. Man kann ja nie wissen.

Richte sie auf deine Stirn.

Entspanne den Schlagbolzen.

Wir müssen alle gehen, singt Johnny, führt kein Weg vorbei.

Deine Augen blinzeln.

Meine nicht.

Eine Träne kullert deine rechte Wange hinunter.

Ich könnte sie auffangen. Mit dem Zeigefinger.

Aber warum sollte ich das tun?

Die letzten Sekunden.

Drei.

Zwei.

Eins.

Farewell.

**2** Ich weiß gar nicht, wo ich anfangen soll. Wahrscheinlich fangen die meisten so an. Ja, natürlich tun sie das. Ich muss es doch wissen. Und ich bin da keine Ausnahme.

Vor 34 Jahren wurde ich in Duffmore, einer Kleinstadt in Schottland, geboren. Duffmore hat keine 8000 Einwohner, es liegt zwischen Fort Augustus und Inverness, in den Highlands, in der Nähe von Loch Mhor. Im Norden gibt es einen kleinen Wald, den Lonley Forrest, in dem es spuken soll, der für uns Kinder eine einzige Mutprobe war und in dem ich die gruseligste Nacht meines Lebens verbrachte. Aber das ist eine andere Geschichte.

Duffmore ist eine beschauliche Stadt, die im Sommer und bis zum Herbst hin von einem unerbittlichen Festival-Marathon heimgesucht wird. Literatur, Musik, Schauspiel, Kochen, Stricken, es gibt immer einen Grund, um zu ehren und zu feiern und zu wetteifern. Nicht immer geben wir dabei eine gute Figur ab, auch nicht bei den unermüdlichen Highland Games, bei denen wir Baumstämme, Hämmer und Steine durch die Gegend werfen. Aber wir haben Spaß dabei und das ist mehr wert, als eine gute Figur abzugeben, sagt Onkel Seamus immer.

Wir leben auf einem alten Gehöft aus dem 19. Jahrhundert, mit zwei alten Steinhäusern und einer kleinen Stallung. Onkel Seamus hatte das halb verwitterte Gelände nach seinen ersten Großaufträgen gekauft und im Lauf der Jahre restauriert. Es liegt im Norden der Stadt etwas abseits, die Hobbard Road hoch und dann links in die Lyndon Street rein, bis zum Ende, dann rechts, die kleine Auffahrt hinauf, keine fünfhundert Meter und dann kann man es schon sehen. Im Schnitt leben fünf Katzen, zwei Hunde und Bernhard, der Esel, mit uns. Es gibt ja auch genügend Platz. In der Idylle. In unserer kleinen Welt.

Aber als Kind zog es mich fort, sooft es nur ging, in die Wälder, über die Hügel, zum See, auf unerforschten Wegen, immer auf der Suche, nach Abenteuern, nach mehr. Die Winter sind mild, so dass wir das ganze Jahr über im Freien verbringen können. Und da ich nie aus Zucker war, mir der viele Regen also nichts anhaben konnte, rannte ich bei jeder sich bietenden Gelegenheit raus. Nicht ohne an mein Langschwert zu denken, um mit meiner tausend Mann starken Armee aus mutigen und unbesiegbaren Highlandern ferne Königreiche zu erobern und schöne Prinzessinnen aus den Klauen schlechtriechender Bösewichter zu befreien. Ich hatte eine großartige Kindheit. Mit allen Höhen und mit allen Tiefen.

Das erste Tief ließ nicht lange auf sich warten.

Als ich sieben Jahre alt war, hörte ich zum ersten Mal, dass Onkel Seamus und Tante Livi nicht meine leiblichen Eltern waren. Ich hörte zum ersten Mal von Birdy und Monkboy. Namen, die wie aus einem Märchen klangen. Auch die Fotos, die man mir gab, waren ein großes Rätsel. Sie zeigten eine plüschig-surreale Welt, die in Farbräuschen explodierte und die mir völlig fremd erschien. Paradiesvögel nannte man meine

Eltern. Oder auch Spät-Hippies. Mit Räucherstäbchen und so. Aber sie rauchten nicht nur Gras, hörten alte Doors-Platten auf einer schwarzen sich im Kreis drehenden Scheibe und träumten von einer heilen, kunterbunten Welt. Viel lieber noch schossen sie ihr Gehirn in weit entferntere Umlaufbahnen, in denen nur noch sie selbst existierten. Es hieß, dass es kaum noch Venen gab, in die sie ihre Nadeln stechen konnten. Eine Woche vor meinem ersten Geburtstag mussten sie noch welche gefunden haben. Und da sie ihr Glück kaum fassen konnten und weil gerade Dienstag war oder Mittwoch oder Freitag, auf jeden Fall ein Tag, den es zu ehren galt, ein fabelhafter Tag, dosierten sie mehr als nur großzügig, kein Kurztrip, eine Fernreise war geplant, mindestens. Als man sie fand, sagte Onkel Seamus, war ein Lächeln um ihre Mundwinkel zu sehen. *Puff, the Magic Dragon* von Peter, Paul and Mary sei gelaufen. Immerzu. Die Platte hatte einen Sprung.

Birdy war Onkel Seamus' jüngere Schwester. Er erzählte oft von ihr. Von meiner Mutter. Dass sie offen war und fröhlich und naiv und dass sie so ungeheuer zerbrechlich ausgesehen habe. Sie waren zu zweit. Der ältere Bruder starb mit neun Jahren an Diphtherie, zwei weitere Geschwister im Kindsbett. Er wollte sie immer beschützen. Das war seine Aufgabe. Und er versagte. Dabei hatte er alles versucht. Gut zureden, schlecht zureden, einsperren, einliefern, entziehen, therapieren, alles. Die Schuld an dem Dilemma gab er Monkboy, meinem Vater, der gar nicht Monkboy hieß, sondern Will. Meine Mutter hieß auch nicht Birdy, sondern Rachel. Aber niemand nannte die beiden bei ihren richtigen Namen. Sie waren einfach nur die schrägen Vögel, die keinem etwas zuleide taten, nur sich selbst. Ich hätte gerne eine richtige Erinnerung an meine Eltern, nicht nur Fotos und Erzählungen. Ich weiß nicht, wie sie gerochen haben, wie ihre Stimmen klangen, ich kann mich nicht an ihr Lachen erinnern, nicht an ihre Berührungen und auch nicht daran, wie sie meinen Namen riefen.

Aber ich kann mich nicht beschweren. Ganz im Gegenteil. Onkel Seamus und Tante Livi behandelten mich immer wie ihren eigenen Sohn. Völlig selbstverständlich. Dabei hatten sie schon zwei Kinder. Frankie, drei Jahre älter als ich, und Polly, die gerade erst geboren worden war. Einen mehr durchzufüttern, sagte Tante Livi, mache doch keinen Aufwand, das sei ein Klacks, die zwei, drei Kartoffeln zusätzlich. Aber ich bekam mehr als nur Essen und ein Dach über den Kopf. Es war Neugier, die man mir entgegenbrachte. Alle wollten immerzu wissen, was ich denke und warum ich so denke, was ich mache und warum ich es mache. Sie fragten nicht, um mich zu kontrollieren, sondern aus Interesse. Und das war nervig. Und das war wunderbar.

Aber der Reihe nach. Vielleicht sollte ich nicht mit mir anfangen. Vielleicht sollte ich zunächst einmal Onkel Seamus etwas näher vorstellen. Das Familienoberhaupt, der Mensch, der mich am meisten prägte, zu dem ich von klein an aufschaute und der für mich immer der Klügste all der Menschen war. Durch ihn bin ich zu dem geworden, der ich bin. Ein Mörder, ja, das auch. Und obwohl ich ihn immer Onkel Seamus genannt habe und das auch heute noch tue, war er der Vater, den ich nie hatte.

Onkel Seamus war nie auf einer Universität, er hat keine Ausbildung, er hat noch nicht einmal einen richtigen Schulabschluss. Mit 14 hat er die Schule geschmissen, er ist einfach nicht mehr hingegangen. Auch zu Hause hatte er nichts mehr verloren, wo er alles schon kannte und ihm nichts davon gefiel. Weder der Alkohol, der in Strömen floss, noch die vielen Schläge, die ihn trafen. Calvinismus, so lernte er früh, war nicht seins. Er musste weg, so weit weg wie nur irgendwie möglich. Und so stopfte er an einem Sonntagmorgen seine Lieblingsklamotten in seinen grünen Seesack, blickte ein letztes Mal zurück, spuckte auf den matschigen Boden und ging. Er war gespannt, wie weit ihn seine Ersparnisse wohl bringen würden. Und er war überrascht, dass es nicht für Afrika reichte. Nicht einmal so weit, um die Grenzen des Königreichs hinter sich zu lassen. Bis Birmingham ist er gekommen. Er hatte keine besonderen Pläne oder gar Ziele, er wollte einfach nur die Welt erobern, das war alles. Und wenn er mit Birmingham anfangen musste, dann sollte es so sein. Die erste Station, nicht mehr, nicht weniger. Damals war die Stadt noch ein brodelndes Ungeheuer. In den dunklen Gassen und feuchten Ecken roch es nach Stahl und Schweiß, nach einer Welt, in der Männer noch Männer waren. Und wer sich nicht vor knochenharter Arbeit drückte, der konnte sich unbemerkt herumschlagen und über Wasser halten. Da Onkel Seamus schon mit 14 für 18 durchging und das war, was man in gewissen Kreisen einen zähen Hund nannte, bekam er problemlos alle möglichen Hilfsarbeiterjobs. Er arbeitete als Packesel, als Gleis- und Straßenbauer oder auch als Stahlkocher, der Schrott, Koks und Eisenerz in 1600 Grad heiße Öfen schaufelte. Die harte körperliche Arbeit half ihm, seine Aggressionen und seine Wut so gut es eben ging zu kontrollieren. Sieben Jahre verbrachte er in Birmingham. Die Welt eroberte er nicht. Die Welt hatte anscheinend Besseres zu tun, als von Onkel Seamus erobert zu werden. Und außerdem fehlte ihm die Zeit für einen ordentlichen Feldzug. Sechs Tage die Woche arbeitete er bis zum Umfallen, und das Einzige, was er dann noch sehen wollte, war sein Bett. An den Sonntagen ging er ab und an zum Fußball, zum Pferderennen oder zu den Hinterhofkämpfen, den illegalen, um zu wetten. Dort lernte er auch Jean kennen. Der Einzige, der noch jünger war als Onkel Seamus, der aber den gleichen merkwürdigen Blick in den Augen hatte. Beide waren sie auf der Suche, nach etwas, das sie selbst nicht so genau beschreiben konnten, das aber groß und ungeheuerlich sein musste, so viel war sicher. Sie wurden beste Freunde. Und das auf ewig. Onkel Seamus hält sehr viel von echter Freundschaft, von Ehre, von einem Wort, das gehalten wird, und Jean schaute auf zu Onkel Seamus, obwohl er in späteren Jahren immer zu ihm hinunterschauen musste, denn Jean wurde fast zwei Meter groß, ein Halbafrikaner, mit Muskeln, von denen kleine Jungs immer träumen.

Ein einziges Mal nahm Jean Onkel Seamus mit nach Hause, zu seinen Eltern, zum Essen.

Es sollte ein entscheidendes Treffen werden.

Jeans Elternhaus war alles andere als proletarisch. Mr. Johnson, Jeans Vater, war Professor für Afrikanistik an der heimischen Universität. Es war das erste Mal, dass Onkel Seamus in Berührung mit der kulturellen Oberschicht kam. Er war in einfachen Verhältnissen unter einfachen Menschen aufgewachsen, und alle um ihn herum waren entweder arbeitslos oder Arbeiter oder einfache Angestellte und Kultur nur etwas für Pappnasen, die keine Ahnung vom richtigen Leben hatten. Er war aber nicht eingeschüchtert von den vielen Büchern und der Kunst an den Wänden, weder scheu noch verlegen, er war nur neugierig. Jean verachtete seinen Vater, er verachtete den Dünkel, die Sprache, das Gehabe und die freundlich lächelnde Verlogenheit. Auch Onkel Seamus war nicht sicher, ob er Mr. Johnson mochte oder nicht, aber das spielte gar keine große Rolle. Denn Mr. Johnson musste etwas in Onkel Seamus gesehen haben, so wie die meisten Menschen irgendetwas in ihm sehen. Nach dem Abendessen gab er ihm ein Buch und sagte, das könne ihn vielleicht interessieren. Für Onkel Seamus änderte sich von diesem Moment an alles. Dabei dachte er zunächst, dass sich der gebildete, alte Mann über ihn lustig machen wollte. Denn was sollte er, der minderjährige Hilfsarbeiter aus Schottland, bloß mit Platon anfangen. Den Namen hatte er vorher schon mal gehört, aber nie war er auf die Idee gekommen, ein Buch eines seit mehr als 2000 Jahren toten Griechen auch nur anzufassen. Als er abends in seinem Zimmer im Bett lag und nicht einschlafen konnte, schlug er die ersten Seiten des Gorgias auf, wo über Strafe, Rhetorik, Recht und Unrecht diskutiert wurde. Er war überrascht, wie einfach die Sprache und wie kompliziert der Inhalt war. Am nächsten Tag erinnerte er sich wieder, wie hitzig er mit und gegen Gorgias, Sokrates und Kallikles argumentiert hatte. Er war irritiert. Und er war, wie er später sagte, angefixt. Er las nicht nur alle Dialoge, er las fortan alle Philosophen, die er nur finden konnte und er brachte sich sogar notdürftig Latein bei. Mit der Philosophie hatte sich für ihn eine Welt aufgetan, die ihn zutiefst verwirrte und überforderte, die stärker war als er. Und das war ihm noch nie passiert.

Sieben Jahre blieb Onkel Seamus in Birmingham, dann kehrte er zurück nach Schottland, nicht nach Ullapool, sondern ins hundert Meilen entfernte Duffmore, wo ein entfernter Cousin lebte, der ihm einen Job angeboten hatte. Einen lukrativen Job. Die ersten Jahre lebte er zur Miete, in einem kleinen Apartment, kaum größer als eine Garage, mit Schimmel an den Wänden und einem Kohleofen zum Heizen. Er wollte sparen. Auf eine Zukunft. Mit einer Familie. Einer richtigen.

In Duffmore lernte er auch Tante Livi kennen. Sie arbeitete im *Milano*, in Dougan's Eisdiele. Auch sie sparte eisern jedes Pfund, für ein eigenes Café, eines Tages, so ihr Traum. Für Onkel Seamus war sie die schönste Eisverkäuferin im Umkreis von zwei Sonnensystemen. Er brauchte fast ein Jahr, um sie anzusprechen. Und obgleich er wirr redete und die

Worte nur stotternd ihren Weg fanden, bekam er eine erste Verabredung.

Sie wurde ein Desaster.

Er hatte für ein Picknick im Wald einen Geiger engagiert und er hatte Tante Livi mit einem gemieteten Bentley samt Fahrer abgeholt. So sicher Onkel Seamus im Umgang mit Männern war, ein Alpha-Tier, keine Frage, so unsicher und bisweilen linkisch verhielt er sich gegenüber Frauen. Er verwechselte Romantik mit Kitsch, interpretierte Gesten und Blicke falsch und war mit den Nerven oft schon völlig am Ende, bevor er zu einem Rendezvous ging. Bei Tante Livi wusste er, dass sie die Frau fürs Leben war, die eine, die man nur einmal trifft, und da wollte er nichts falsch machen. Er hatte Glück, dass sie seine tölpische Angeberei amüsierte. Außerdem mochte sie seine Augen und diese Mischung aus Aggressivität und Unsicherheit.

Ein Jahr später heirateten sie und zogen in ein kleines Haus am Rand der Stadt. Sie bekamen zwei Kinder, Polly und Frankie. Meine Geschwister. Mit Polly hatte ich nie wirklich viel zu tun, wir mochten uns, aber sie war immer schon sehr in sich gekehrt. Mit Frankie war das anders. Mit ihm verbrachte ich die meiste Zeit und wir haben unzählige Abenteuer auf dem Weg zum Erwachsenwerden gemeinsam bestanden. Wir sind Blutsbrüder. Echte. Die Narbe an meinem Handgelenk ist für ewig. Keine Sekunde würde ich überlegen, mein Leben in seine Hände zu legen, auch wenn ich ihn mir manchmal, wie soll ich sagen, etwas umgänglicher wünschen würde.

**3** Es ist dunkel.

Regen taucht die Stadt in Unschärfe. Künstliches Licht hält sie lebendig.

In der Ferne schrillen Sirenen.

Über eine Stunde habe ich gebraucht bis nach Amsterdam, bis in die Innenstadt zur Prins Hendrikkade 108. Das Hotel ist nicht zu übersehen. Das Amrâth hat fünf Sterne, vier davon wahrscheinlich für den Art-déco-Stil, der immer so anachronistisch wirkt. Die Zeit des großen Gatsby ist nun einmal vorbei. Ästhetisch gesehen.

Neben dem Eingang steht eine dünne, junge Frau in einem rosa Bademantel und Tigerpuschen. Ihre Augen sind schwarz, die Lippen honiggelb, die Haut schneeweiß. Sie raucht eine Zigarette, die in einer schwarzen Kunststoffspitze steckt, und hält eine Hundeleine in ihrer linken Hand. Neben ihr sitzt ein Mops mit einer Krankenschwester-Haube auf dem Kopf. Alles in Ordnung? Möchte ich fragen. Doch im gleichen Moment bremst ein tiefergelegter Ford Granada hart neben ihr. Die Tür geht auf und die Boxen geben alles, um die Stadt mit *Dis Iz Why I'm Hot* von Die Antwoord zu beschallen. Die Frau dreht sich zu mir um, lächelt, öffnet für einen kurzen Augenblick ihren Bademantel und zeigt mir ihren Mittelfinger. Dann steigt sie ein und die Reifen quietschen zum nächsten Trip.

Hallo Amsterdam.

Hallo Kapstadt.

Ich gehe ins Hotel. Im Innern das typische Ambiente und der klägliche Versuch, Atmosphäre zu imitieren, aber Atmosphäre kann man nicht imitieren, entweder sie ist vorhanden oder eben nicht.

Hier.

Nicht.

Unbedingt.

Das Zimmer ist im Voraus gebucht.

Ich bin müde. Unendlich müde.

Der Concierge lächelt. Er wird dafür bezahlt. Recht so. Ich bekomme ein Upgrade. Nicht viel los zur Zeit. Gäste lieben Upgrades. Ich auch.

Ich unterschreibe irgendetwas.

Hunger. Gibt es noch etwas zu essen? Natürlich.

Ich bestelle das Clubsandwich ohne Huhn und eine Flasche Rotwein, Hausmarke. Aufs Zimmer. Bitte. Der Bellboy nimmt mein Gepäck, wir gehen zum Aufzug und fahren bis in die dritte Etage. Als er die Zimmertür öffnet, sehe ich, was ich immer sehe. Ein Bett, eine Sitzecke und einen Schreibtisch. Dieses Mal in Braun und Orange gehalten. Wie schön. Der Bellboy wünscht einen angenehmen Aufenthalt. Er wartet. Ich gebe ihm fünf Euro Trinkgeld und wünsche einen schönen Abend. Als die Tür hinter ihm ins Schloss fällt, atme ich tief durch.

Alleine.

Ich gehe ins Bad und wasche mein Gesicht. Mein Spiegelbild sieht fremd aus. Schön, Sie kennenzulernen. Mahayana oder Theravada? Vielleicht sollte ich mir die Augenbrauen rasieren. Vielleicht sollte ich einfach nur eine Aspirin nehmen.

Ich hole mein Macbook aus der Tasche, setze mich aufs Bett und maile heim. Der Text lautet: *Habe Hunter besucht. Gut geht es ihm. Sehen uns nächste Woche. Alles Liebe. Billy.*

Es klopft an der Tür.

Es ist der Kellner. Mit dem Abendmahl und der Flasche Wein. Ich bedanke mich.

»Wenn der Herr sonst noch etwas wünscht.«

Er sieht mich so merkwürdig an. Er sieht überhaupt ein wenig merkwürdig aus. Die Haare verstrubbelt, die Ringe unter den Augen tief. Eine Aushilfe.

»Nein, danke«, sage ich und gebe auch ihm fünf Euro Trinkgeld.

Er bleibt stehen.

Was ist los? Gibt es ein Problem?

»Sie sehen müde aus«, sagt er.

Das geht zu weit. Ich möchte ihm nicht zu nahetreten. Aber er sollte jetzt besser gehen.

»Vielleicht brauchen sie ja etwas, das sie wieder wach macht.«

»Wach?«

»Ja«, flüstert er nahezu und beugt sich leicht hinunter zu mir, als wären noch andere Personen im Raum, »Amphetamine, bisschen Koks oder so.«

»Das ist lieb, aber nein, danke, ich brauche nichts.«

»Frauen?«

»Frauen?«

»Blond, brünett, rothaarig, hell, dunkel, groß, klein, dicke Titten, kleine, für jeden Geschmack was dabei. Sie müssen nur sagen, was Sie mögen, worauf Sie stehen. Ihr Wunsch wird mein Befehl sein.«

Bezahlter Sex. Warum eigentlich nicht. Aber ich bin viel zu müde, ich möchte eigentlich nur noch duschen und dann schlafen.

»Nein, danke, wirklich nicht.«

»Wenn Sie es sich doch anders überlegen, hier ist meine Karte. Privatbusiness, Sie verstehen. Rufen Sie mich einfach an, Tag und Nacht, wann immer Sie in der Stadt sind, wann immer Sie etwas brauchen, egal was …«

»Dann werde ich auf Sie zurückkommen, versprochen.«

Der Kellner geht. Ich bleibe. Ich schütte mir ein Glas Rotwein ein und trinke es auf Ex. Fülle es erneut und stelle es auf den Nachttisch. Der Regen klatscht gegen die große Fensterfront. Lichter flackern unscharf, die einen verschwinden, andere tauchen auf. Die Stadt und ihre Lichter. Wie oft ich sie schon gesehen habe. Diese Stadt. Die keinen Namen hat. Die ich immer nur die Lichterstadt nenne. Viele von ihnen habe ich schon besucht. Das bringt mein Beruf so mit sich. Und immer bin ich enttäuscht, wenn ich keine Zeit habe, sie zu erkunden. Manchmal aber kaufe ich ein Brezel oder etwas aus Mürbeteig und dann wandere ich umher und kaue und tagträume vor mich hin. Ich streune gerne durch unbekannte Straßen, lasse mich treiben, von Gerüchen und Geräuschen, irgendwohin, wo es schön ist, oder hässlich, egal, Hauptsache anders. Und jedes Mal freue ich mich, wenn ich erschrecke, wenn ich das Neue mir Unbekannte entdecke. Aber es wird immer schwerer, sich überraschen zu lassen. Es stimmt schon: Nicht nur die Städte sehen immer gleicher aus, auch die Menschen. Sie bewegen sich auf das Mittelmaß zu, auch die Gefühle, eine gleichförmige Wellenbewegung, wenig Ausschläge, nicht Liebe, nicht Hass, nicht groß, nicht klein, alles so *low*, so sepia, Dämmerzustand, behagliches Unbehagen. Sie scheinen sich als Individuen nicht mehr wohl zu fühlen. Und ich frage mich, warum.

Ich nehme das Sandwich, setze mich im Schneidersitz aufs Bett und surfe.

Für die nächsten Stunden ist ein Hurrikan angekündigt, *Iwan*, er soll über New York hinwegziehen und 20 Milliarden Dollar kosten. Mindestens. Er soll 150 Stundenkilometer schnell sein und einen Durchmesser von 1800 Meilen haben. Schottlands maximale Breite beträgt 149 Meilen. Die ersten Ausläufer haben die Küste von Manhattan schon erreicht. Bis zu 400 Liter Regen sollen pro Quadratmeter fallen. Es wird Hochwasser geben. Drei Meter fünfzig. Minimum. Con Edison wird in Teilen der Stadt den Strom abstellen. Es wird Brände geben, trotz des vielen Wassers. Die Feuerwehr ist glücklicherweise von Helden unterwandert. Der Bürgermeister stimmt seine lieben Mitbürger auf den kommenden Event ein. Man stehe das durch, gemeinsam. Es gibt einen Liveticker auf der *New York Times*-Seite. Ich liebe Liveticker. Und ich liebe Umweltkatastrophen. Die Macht der Natur. Für die Menschen tut es mir natürlich leid.

Ich schaue wieder aus dem Fenster und trinke das zweite Glas Wein leer. Ich werde nicht schlafen können. Ich bin müde, aber ich werde nicht schlafen können, ich weiß es. Also bleibt nur die Bar.

Ich schnüre die Stiefel wieder zu, schnappe mein Jackett und lasse die Tür hinter mir zufallen. Im Flur begegne ich einer alten Dame in einem bodenlangen schwarzen Paillettenkleid. Sie muss von einer Feier kommen, sie schwankt ein klein wenig, wir lächeln uns zu und ich steige in den Aufzug.

E.

Unten angekommen, ziehe ich das Jackett über und folge den Geräuschen. Die Bar sieht aus wie eine Bar. Theke, Flaschen, Gläser, Stühle, Hocker. Die Musik im Hintergrund, leise und ambitioniert. Klingt, als wolle man sich mit Legenden schmücken, mit Monk, Parker und Ellington. Nicht viel los heute Abend. Auf einer der roten Bänke an der Wand sitzt ein junges Paar und knutscht. Ich gehe an die Theke an der zwei weitere Männer sitzen, einer am Fenster, der andere in der Mitte. Lasse einen Platz neben mir frei. Der Barkeeper begrüßt mich mit einem freundlichen Lächeln und der Frage, wie es mir geht. Gut geht es. Ich schaue in die Karte, bestelle ein Bier, ein *Karmelit Triple*, was auch immer das sein mag.

Am Fenster sitzt ein dicker Mann mit Halbglatze. Er trägt einen hellgrauen Anzug und eine Krawatte, Typ Kleinstunternehmer. Dürfte in meinem Alter sein, vielleicht Ende dreißig, schwer zu sagen.

Zwei Plätze neben mir sitzt ein Anfang-Sechzigjähriger. Auffällige Erscheinung. Gut situiert, teuer gebildet, elegant und doch individuell gekleidet. Die grauen Haare eine Idee zu unkonventionell geschnitten, er sieht aus wie jemand, der Bob Dylan und Brahms verehrt, der eine wilde Jugend hatte, ein Bohemien, zweifelsohne. Und sehr wahrscheinlich die misanthropische Es-geht-alles-den-Bach-runter-Variante unter den Bargästen, die unterhaltsame also.

Er mustert mich. Seine Augen sind schon leicht glasig. »Richard.« Er reicht mir die Hand. Ich nehme sie in meine und sage: »Billy.«

»Donald«, sagt der dicke Mann am Fenster, ich nicke, zum Zeichen, dass ich ihn gehört habe.

»Wo kommen Sie her, Billy?«, fragt Richard.

»Schottland.«

»Ah, cullen skink und Forfar bridies!«

Ich mag weder Fischsuppe noch Fleischpastete und lächle matt, aber freundlich.

»Meine Güte«, sagt Richard, »das letzte Mal war ich vor 20 Jahren in Schottland, um einen jungen Maler für meine Galerie zu gewinnen, tolles Land. Lasst uns Malzmaische trinken, Freunde! Die Runde geht auf mich. Was haben wir denn im Angebot, Henk?«, fragt er den Barkeeper. »Glenlivet, Bowmore, Laphroaig?«

»Weder noch. Lagavulin oder Glenmorangie, freie Wahl«, sagt Henk.

»Nun, dann nehmen wir einen Lagavulin, wenn die Herren nichts dagegen haben.«

Wir nicken. Und schauen dem Barkeeper dabei zu, wie er drei Gläser füllt und mit einer Serviette vor uns hinstellt.

»Hm«, sagt Richard und betrachtet das Glas in seiner Hand, »dieser Tropfen sieht nicht aus wie blasses Gold oder dunkler

Bernstein. Ich habe Urin gesehen, der vielversprechender aussah. Sagen Sie, mein Guter, welche Torfsorte hat man benutzt, um das Gerstenmalz zu trocknen?«

Henk lächelt sanft, er scheint Richard schon zu kennen. Diese alten, gebildeten Männer müssen immer ein bisschen ihre weltmännische Ader zur Schau tragen. Die einen machen das charmant, die anderen großspurig und manche großspurig und charmant. Könnte sein, dass Richard zu dieser seltenen letzten Fraktion gehört. Er spielt damit, er weiß, dass es nicht unbedingt sympathisch wirkt, und er zeigt gleichzeitig, dass ihm Sympathie nicht so wichtig ist.

»Cheers«, sagt Richard und schluckt den Single Malt in einem Zug runter. »Schmeckt fürchterlich, wir nehmen direkt noch einen.«

»Für mich nicht, ich muss morgen früh raus«, sagt Donald.

»Für Donald einen doppelten«, sagt Richard. »Wir waren gerade in ein Gespräch vertieft, Billy, und sind da an einem Punkt nicht weitergekommen, vielleicht können Sie uns ja weiterhelfen.«

»Wenn ich kann, gerne.«

»Donald hier ist … was sind Sie gleich noch mal, Donald?«

»Ich bin im Sales-and-Distribution-Bereich tätig. Handelsvertreter für die CRB 2.«

»CRB 2?«, frage ich.

»Customer-Relationship-Betriebssoftware. Ist ein interessanter Job, auch wenn es auf Anhieb vielleicht nicht so klingt. Ich komme rum. Erlebe viel.«

»Ja, ja«, sagt Richard, »worum es geht, ist, dass unser Donald ein guter Mensch sein möchte, und ich mich frage, was denn übrig bleibt, wenn man ein guter Mensch sein möchte. Was glauben Sie, Billy?«

»Ich glaube, dass Sie es mir gleich sagen werden.«

»Nun, wenn Sie meine bescheidene Meinung hören möchten, dann ist derjenige verloren, der nie aus seinem vorgeschriebenen Leben ausgebrochen ist, niemals eine verrückte Zeit hatte, sich nie geprügelt, nie auf die Straße gegangen ist, nie das korrupte System bekämpft hat, nicht im Drogenrausch die Orientierung verloren hat, jemand, der keine Tiere isst, nie Auto fährt, kein Flugzeug benutzt, nicht besser sein möchte als andere, nie und unter keinen Umständen die Gefühle anderer verletzt, insbesondere keine religiösen, kurzum, wer immer nur mit dieser leeren Freundlichkeit Mama-Papa-Kind spielt, der wird immer nur der Beamte seines Lebens sein, der die Stationen sauber abheftet, ein Smalltalkender, alles angenehm findender, verständnisvoller, liebenswerter Volltrottel, von dem einzig und allein Biokompost übrig bleibt. Und er wird sich auch nicht dadurch retten, dass er zum PR-Trottel seiner eigenen Wenigkeit wird und bestenfalls selbstironisch reklamiert: Der Mensch icht sich zu Grunde. Was meinen Sie, Billy?«

»Nun ja, ich esse keine Tiere und ich finde es auch nicht verwerflich, sich Gedanken über die Umwelt zu machen.«

»Natürlich nicht, darum geht es aber auch gar nicht. Sehen Sie, ich habe auch schon mal vegetarisch gegessen, ganz wunderbar, dieses Gemüse, und ich liebe Begriffe wie Ehre, Mut und Gerechtigkeit, Freundschaft bis in den Tod, ich liebe das Gute, ich liebe Superhelden …«

»Ich auch, ich liebe auch Superhelden und am liebsten liebe ich Superman«, mischt Donald sich ein.

Wir starren ihn an.

Sein speckiges Gesicht fängt an zu leuchten, seine Augen stieren glasig ins Nichts und um seine Mundwinkel zeichnet sich ein Lächeln ab, als erinnere er sich. Für einen kurzen Moment scheint er glücklich zu sein, weil er seine Kindheit sieht,

sieht, wie er auf dem Bett liegt und Superman liest und davon träumt, später auch mal ein Superheld zu sein.

»Wie auch immer«, nimmt Richard seinen Faden wieder auf, »im wahren Leben aber geriert sich der Mensch nicht wie ein Superheld, sondern wie die niederträchtige, missgünstige und verlogene kleine Kröte, die er ist und immer schon war. Und es geht darum, ob wir uns einreihen und der trägen Herde Kühe anschließen, ob wir bis zum Finale mitlaufen, ab und an Muh machen und am Abgrund runterfallen. Oder eben nicht.«

»Ich glaube«, sagt Donald mit nachdenklicher Miene, »dass der Kapitalismus uns alle zerstört.«

Wir starren ihn wieder beide an.

»Der Kapitalismus?«, fragt Richard. »Mein lieber Donald, der Kapitalismus ist das einzige System, das dem Menschen zu hundert Prozent gerecht wird. Denn das Streben des Menschen ist immer das Streben nach mehr. Es ist sein Lebenselixier. Er will mehr Glück, mehr Macht, mehr Geld, mehr Ruhe, mehr Spaß, mehr alles, mehr, mehr, mehr. Kapitalismus und Mensch sind eins. Und wenn Sie morgens in den Spiegel blicken, dann sehen Sie ein Produkt.«

»Sie kennen mich überhaupt nicht. Ich bin kein Produkt. Und ich habe schon ganz andere Dinge gemacht. Verrückte Dinge.«

»Zum Beispiel?«

»Ich hatte Sex mit Hausfrauen.«

Wieder starren wir Donald an.

»Ich war mal«, sagt Donald und blickt nachdenklich auf den Single Malt, »Fachverkäufer für ehehygienische Gebrauchsgegenstände. Für ein international agierendes Erotik-Unternehmen. Auf Reisen. Ich war gut. Und einmal, nun ja, da war ich in dieser Hochhaussiedlung, und sie hatte schon nachmittags getrunken, Wodka, sehr viel Wodka, das konnte man riechen, und nur einen Morgenmantel hatte sie an, fliederfarben mit Blumen, sehr schönen Blumen. Sie hat mich reingebeten. In ihre Wohnung. Und dann hat sie, dann hat sie …«, Donald zögert, er erinnert sich, und seine Gesichtszüge wirken plötzlich traurig, »dann hat sie mich vergewaltigt.«

Was will man darauf sagen? Selbst Richard scheint irritiert, gleichwohl er sich ein flüchtiges Lächeln nicht verkneifen kann. »Harte Geschichte.«

»Leben bedeutet Augen zu und durch.«

»Donald, sind Sie depressiv?«

»Ich? Aber nein.«

Ich mache mir auch schon Sorgen.

»Nein, ich bin nicht depressiv, aber hätte ich mir ein Leben aussuchen können, ich wäre kein Mensch geworden. Am liebsten wäre ich ein Vogel geworden, ein Spatz oder ein Habicht, egal, oder ein Nilpferd oder ein Wolf oder ein Löwe, egal, Känguru geht auch, egal, nur fernab von Zivilisation. Instinkt, keine Intelligenz, Leben, kein Zweifeln. Verstehen Sie? Das Leben ist an mir vorbeigezogen und keiner hat es gesehen, nicht einmal ich selbst.«

Zeit zu gehen. Wenn Männer zu viel trinken, werden sie aggressiv oder sentimental. Ich bin da kein großer Freund von. Aber die beiden sind ein hübsches Paar, sie haben mich abgelenkt, und bevor ich sie auch noch in mein Herz schließe, werde ich mich verabschieden. Ich muss morgen nach Vegas. Zu Whiplash.

**4** In unserer Familie hat keiner einen typischen schottischen Vornamen. Ich sollte eigentlich ein Mädchen werden. Meine Mutter war damals unsterblich in Billie Holliday verliebt. Als ich dann ein Junge wurde, machte sie aus dem ie einfach ein y. Onkel Seamus wurde nach seinem irischen Großvater getauft, Tante Livi nach Olivia de Havilland und Frankie nach Sinatra, obgleich es später hieß, dass sein Namenspate Mad Frankie Fraser war.

Und das hatte einen Grund.

Frankie hat das urschottische Gen am stärksten von uns allen, diesen unbändigen Stolz, diese leichte Erregbarkeit und leidenschaftliche Kampfeslust. Ich weiß es aus erster Hand. Ich war sein Trainingspartner. Und ich war es nicht gerne. Als wir jünger waren und noch alle unter einem Dach lebten, waren Rufmorde und Kleinkriege, Kopfnüsse und Schwitzkästen Tagesgeschäft, kaum mehr als eine Fingerübung. Unser Make-up waren Veilchen, Striemen und Brandwunden, wie das damals üblich war unter Geschwistern, die sich bedingungslos liebten. Die Degenerierten spielten Totopoly und reichten sich die Butter an. Einziges Manko: Frankie ist nicht nur älter, er war auch immer schon schwerer, verschlagener, grausamer und stärker als ich. Wenn ich Glück hatte, endeten die Kämpfe mit absoluter Vernichtung.

Gab es jedoch Probleme mit anderen, waren wir eins.

Das erste Mal war ein Schock, das erste Mal, als Frankie und ich als Team auftraten. Es war auf dem Weg zur Schule. Wir mussten einen schmalen, langen Pfad über zwei Hügel und durch ein wild verwachsenes Tal nehmen. Die Route wurde auch der Mordsweg genannt, weil man an sehr engen, uneinsichtigen Stellen vorbeimusste, die sich vortrefflich für einen Raubüberfall eigneten. Und Schurken gab es zur Genüge. Unsere ganz persönlichen waren: die Wilson-Brüder. Über ein Jahr lang haben sie uns aufgelauert und abgezogen, wann immer es sich einrichten ließ. Wir waren 8 und 11. Die Wilson-Brüder 12 und 14. In diesem Alter bedeuten drei, vier Jahre Unterschied Welten. Körperlich waren wir hoffnungslos unterlegen. Psychologisch auch. Die Wilson-Brüder hatten schon einer Katze den Kopf abgeschlagen, sie waren also nachweislich brutal. Wir noch nicht. Das Problem war, dass Frankie Tiere aller Art liebte. Er sagte, er könne problemlos einem Menschen den Kopf abschlagen, aber einem Tier könne er so etwas nicht antun. Dabei isst er am liebsten Fleisch. Wir wollten die Wilson-Brüder mit einem menschlichen Kopf beeindrucken, wussten aber nicht genau, wo wir unauffällig einen hernehmen sollten. Wir dachten an den Friedhof, aber da hätten wir nachts hingemusst, wenn wir nicht auffallen wollten, und nachts war uns der Friedhof einfach zu unheimlich. Also ließen wir den Gedanken wieder fallen. Fast ein Jahr lang haben wir uns weiter terrorisieren lassen. Bis Frankie eines Morgens einen Schraubenzieher aus Onkel Seamus' Werkzeugkiste nahm. Ich dachte, er wollte wieder die Schrauben aus Mrs. Fletchers Stuhl rausdrehen. Weil er das so witzig fand. Aber dem war nicht so.

Wie üblich wurden wir an der alten Gabelung zum Wigan-Hof aufgehalten. Connor Wilson, der Ältere der beiden Brüder, stützte sich mit seiner rechten Hand an einer knorrigen Eiche ab und grinste. So wie er immer grinste, trunken von lauter Selbstgefälligkeit. Sein Blick war spöttisch als er mit gestelzten Worten sagte: »Ahoi, meine kleinen Lieblingsopfer, schön, dass ihr es einrichten konntet.« Frankie ging zwei Schritte auf ihn zu, zog den Schraubenzieher aus seiner hinteren Hosentasche und rammte ihn durch Connors Hand in den Baumstamm hinein. Connor schrie wie ein Ferkel, sein jüngerer Bruder Duncan drehte sich um und erbrach sein Frühstück im hohen Bogen, und ich erstarrte wie von Medusa versteinert. Ich konnte meinen Blick nicht mehr von dem Schraubenzieher, der Hand und dem Baum abwenden. Das viele Blut machte es auch nicht besser. Frankie aber war die Ruhe selbst und er mahnte auch Connor zur selbigen, indem er mit dem Zeigefinger seine Lippen berührte und *Psssssst* machte. Und dann sagte er noch mit einer Stimme, die für einen 11-Jährigen viel zu tief, abgeklärt und gelangweilt klang: »Das nächste Mal, wenn du mir oder meinem Bruder Angst einjagen willst, steche ich den Schraubenzieher in dein Auge.« Keiner der Anwesenden zweifelte an seinen Worten. Keine Sekunde. Und dann zog Frankie den Schraubenzieher wieder raus und Connor schrie erneut wie ein Ferkel, und wir gingen einfach weiter, ohne etwas zu sagen, den Blick nur nach vorne gerichtet auf unseren Weg, den wir gehen mussten, schneller und immer schneller, wenn wir nicht zu spät kommen wollten, und das wollten wir nicht, nicht schon wieder, das hätte Ärger gegeben mit Mrs. Bingham, unserer Rektorin, die hatte uns sowieso schon im Visier.

Connor hat es überlebt. Zwei große Narben sind geblieben. Äußerlich. Aber zum ersten Mal in meinem Leben konnte ich sehen, welche Auswirkungen körperliche Gewalt auf einen Menschen hat. Ich kannte Connor nur als einen unerschütterlich selbstsicheren, eiskalten und wenig zimperlichen Wegelagerer. Wenn wir Connor fortan begegneten, war sein Blick unruhig, er wich uns aus, beinahe unterwürfig, als sei er im Rudel nun ganz unten angelangt. Er hat nie erzählt, wer ihm diese Verletzung zugefügt hat. Es gab Gerüchte. Wie immer, wenn etwas Aufregendes passiert war. Aber das war es. Mehr nicht. Wir wurden dann auch nicht mehr überfallen und auch in der Schule wollte uns niemand mehr Angst einjagen. Mir war das nur recht. Angst war ein sonderbares Gefühl. Ich mochte es nicht. Weniger aus Furcht vor anderen, als vielmehr vor dem eigenen Handeln.

Später dann wurde Gewalt so etwas wie Sport. Für Frankie jedenfalls. Dabei hat er, soweit ich mich erinnern kann, fast nie einen Streit angefangen. Aber wenn jemand Ärger suchte, dann war Frankie der Erste, der hier schrie. Er liebt Ärger. Bis heute. Er liebt einen harten, unerbittlichen und halbwegs fairen Kampf. Seine Augen leuchten dann wie die eines kleinen Jungen. Ich weiß nicht, in wie viele Schlägereien wir dank seiner Diplomatie geraten sind. Ein gutes Dutzend müssen es gewesen sein. Und wir haben keineswegs alle gewonnen. Es half auch nie wirklich, wenn er mich im Getümmel anschrie und mir Tipps gab wie: »Uppercut, Uppercut, wie Bigfoot gegen Overeem« oder »Rechter Hammer wie Nelson gegen Kongo« oder »Armbar, jetzt Armbar, wie GSP gegen Hughes«.

Genauso gerne wie Frankie kämpft, schaut er anderen beim Kämpfen zu. Er liebt Mixed Martial Arts. Käfigkämpfe. Ich habe unzählige Stunden mit Royce und Kimbo, Cain und Randy, Ronda, Chuck und Forrest abgehangen. Mit Frankie vor dem Fernseher. Er ist Fan der ersten Stunde. Als die Kämpfe noch in Hinterhöfen ausgetragen wurden. Als Augenstechen, Kopfnüsse und Haareraußreißen zwar nicht so gerne gesehen, aber noch nicht explizit verboten waren, die Regeln sich also darauf beschränkten, sich nach Möglichkeit nicht zu töten. Und auch wenn er die Kommerzialisierung zaghaft kritisiert, so ist er bis heute Fan der letzten großen Gladiatoren, wie er sie immer nennt. Er bewundert komischerweise nicht die leicht tumbe Machofraktion, die Diesel zum Frühstück trinkt, sondern smarte, filigrane Edeltechniker wie Jones oder Silva und Großmäuler wie McGregor oder Diaz, Kämpfer mit Stil, Charakter und Herzblut.

Ein einziges Mal war ich live dabei. Onkel Seamus hatte Frankie zum Dreißigsten zwei Karten für einen Kampfabend in London in der größten Arena Englands besorgt. Mit Backstage-Pässen, die uns als very important auswiesen. Wir durften zu jederzeit überall hin und überall rein. Ich weiß nicht, wie Onkel Seamus das gemacht hat, ich weiß nur, dass ich Frankies Augen nie zuvor und auch nie danach so leuchten sah. Wir saßen in der zweiten Reihe, der Ring, ein Oktagon, war zum Greifen nah. Manchmal spritzte das Blut bis in unsere Reihe. Brutal, ja, natürlich, was auch sonst. Boxen sieht gegen Martial Arts aus wie Klammerblues. Auch am Boden wird noch weiter gekämpft, zwei verschwitzte, halbnackte, muskulöse, ineinander verschlungene Körper, die um den Sieg ringen, und immerzu beschäftigt sind, dem Gegner einen Arm zu verdrehen, die Luft abzuwürgen oder mit dem Ellenbogen das Nasenbein zu zertrümmern. Großes Kino, wie es das Kino nicht kann. Findet Frankie.

Das Interessanteste aber waren gar nicht die Kämpfe selbst, es war die Zeit hinter den Kulissen, in den hell erleuchteten Gängen und Katakomben, in denen hunderte Menschen hin und her wuselten, Kämpfer, Trainer, Betreuer, Ärzte, Offizielle und all die kleinen Frankies mit ihren großen Augen, die immerzu Ah und Oh wisperten. Keine Ruhe nirgends, nur Flüche und Jubelschreie, die von Anspannung und Erlösung zeugten. Die Szenerie war ein orchestriertes Durcheinander, ein Testosteron tropfendes Kammerspiel. Auf der einen Seite Kämpfer, die wie Raubtiere unruhig hin und her gingen und mit ihrer Entourage darauf warteten, die tobende Halle zu betreten. Auf der anderen Seite die verschwitzten und geschändeten Körper derer, die von ihrer Schlacht zurückkehrten. Und überall der metallisch-süßliche Geruch nach Blut und der Dunst sportiver Deodorants.

Die große Schau waren nicht die Sieger, sondern die Verlierer, die zusammengesunken auf Stühlen saßen, Eisbeutel im Nacken, das Gesicht voller Hämatome, Cuts, die bis auf die Knochen gingen und an Ort und Stelle genäht wurden. Die Leere in ihren Augen, die ins Nichts blickten, war nicht traurig, nur episch. Einige weinten gar, aus Wut, aus Enttäuschung, aus Verzweiflung, weil alles andere egal war in diesem Moment, selbst die Coolness. Keine Sportart ist auch nur annähernd so existenziell, keine, in der die Tragödie und der Triumph so radikal gelebt werden. Es gibt verstörende Momente, wenn Sieger und Verlierer sich umarmen, auf die Wangen und die Stirn küssen, Krieger in tätowierter Kriegsbemalung, die kurz zuvor noch erbarmungslos aufeinander eingeschlagen haben. Langfristige Schäden? Ja, passiert, natürlich, wie wir alle Schäden davontragen, egal, was wir tun, so ist das Leben. Vielleicht ist das das wahre und das endgültige Theater. Vielleicht aber auch nicht.

Vor fünf Jahren hat Frankie beschlossen, es selbst einmal zu versuchen. Mit 32. Etwas spät. Aber er hatte lange Jahre geboxt, und er war bereit, Geschichte zu schreiben. Für eine kurze Zeit trainierte er in einem kleinen Mixed-Martial-Art-Verein unten in Oban. Ein Trainingsweltmeister war er nicht. Dabei war Training dringend nötig. Das Problem war, dass Frankie zwar ein unglaublich harter und auch hart einsteckender Kämpfer war, seine technischen Fähigkeiten jedoch zu wünschen übrig ließen. Er war ein ganz passabler Boxer. Mehr nicht. Bei diesen Kämpfen jedoch ist es wichtig, ein guter Allrounder zu sein, professionelle Kenntnisse und Fähigkeiten in Ringen, Boxen, Jiu-Jitsu und Muay Thai sind mehr oder minder Standard. Trotz seiner offensichtlichen Defizite ist Frankie bei einem öffentlichen Wettkampf in das Oktagon gestiegen. Ein einziges Mal. Gegen Danny »The Doom« Miller.

Kampfbilanz 9 zu 0. Ein 21-jähriger unfassbar durchtrainierter, wie eine Raubkatze sich bewegender Athlet, der kurz vor dem Sprung in die UFC stand. Frankie war nicht dumm. Er wusste, dass man ihn als Aufbaukämpfer gebucht hatte. Und das auch nur, weil der eigentliche Aufbaukämpfer kurzfristig absagen musste. Aber Frankie glaubte an sich. Er glaubt immer an sich. An seine Kraft, an seine Zähigkeit und an einen Glücksmoment.

Tja.

Seine Kraft und Zähigkeit stellte er eindrücklich unter Beweis, nur der Glücksmoment wollte sich einfach nicht einstellen. Die drei mal fünf Minuten waren äußerst unschön. Da Frankie Aufgeben für eine Sünde hält, gab es zwar nur eine einstimmige Punktniederlage, dafür aber auch eine gebrochene Nase, drei gebrochene Rippen und einen ausgekugelten Arm. Von den ganzen Blutergüssen gar nicht erst zu reden. Frankie sah aus, als hätte ihn ein Panzer überrollt. Mehrfach.

Er nahm das sportlich.

Und persönlich.

Als er Danny »The Doom« Miller zwei Monate später rein zufällig in einem Pub in Aberdeen entdeckte und Danny »The Doom« Miller ihm freundlich zulächelte, interpretierte Frankie das als Affront. Niemand machte sich über ihn lustig. Er nahm sein Bierglas und schlug es Danny »The Doom« Miller schnörkellos gegen die Schläfe, benutzte anschließend dessen Stirn, um die Theke neu herzurichten, und schleuderte den halb bewusstlosen Körper final über den Billardtisch hinweg gegen herrenlose Barhocker. Aber eigentlich, und das sagte er »The Doom« auch, tat er das alles natürlich nur, um klarzustellen, dass es in einem richtigen Kampf ohne Regeln keine Missverständnisse über den Ausgang geben könne, gleichwohl er unbenommen der schlechtere Techniker sei. Er entschuldigte sich noch für die etwas grobe Beweisführung und wünschte viel Erfolg für die weitere Karriere, er jedenfalls drücke beide Daumen, Ehrensache, als großer Fan, der er nun mal sei.

Manchmal, so glaube ich, können selbst Psychopathen noch etwas von Frankie lernen. Es waren immer diese Momente, in denen er mir fremd war, in denen ich ihn nicht verstand. Doch auch wenn wir unterschiedlicher kaum sein konnten, passte weder das berühmte Blatt noch ein Elefant zwischen uns. Denn er war immer da, wenn es darauf ankam. Das klingt simpel. Als wäre es ein Leichtes, immer da zu sein.

**5** Zwischenstopp in Chicago. Der Airport mit dem unfreundlichsten Sicherheits- und Servicepersonal der westlichen Hemisphäre. Glückwunsch. Grund Ihrer Reise? Holiday. Wie lange wollen Sie bleiben? Eine Woche. Finger und Daumen auf den Scanner legen. Bitte. Ein Foto noch. Cheese.

Mit dem Transit zum Terminal 3.

Erneute Sicherheitskontrolle. Leute über 75 dürfen ihre Schuhe anbehalten. Einen Blouson komischerweise auch. Wir anderen müssen auf Socken zum Nacktscanner. Die Würde des Menschen. Eine Stunde Aufenthalt bis zu meinem Anschlussflug. Das Warten war noch nie ein Problem. Ich kenne keine Langeweile. Dazu fehlt es mir an Zeit. Und an Muße. Ich brauche einen Kaffee.

Die Amerikaner sind jetzt auch auf dem Gesundheitstrip. Auch wenn sie nach wie vor nicht so aussehen. Aber plötzlich gibt es an jedem zweiten Imbissstand Obst zu kaufen. Obst. In Amerika. Die Welt geht zugrunde. Der Terminal ist runtergekommen, sieht aus, als sei er seit den Neunzigern nicht mehr modernisiert worden. Klobige Monitore, graue Pflanzenkästen, grau-schwarz-weiß gepunkteter Boden. Das Dach hat ein paar undichte Stellen. Schwarze Wannen und gelbe Warnschilder stehen herum. Aber sauber ist es, es riecht nach Vanille und Chemie. Viele Geschäfte, die üblichen Ketten. Sogar einen Harley Davidson Store gibt es. Interessiert niemanden. Mich auch nicht. Ich gehe zu Starbucks, nehme einen Cappuccino und eine Scheibe Bananen-Walnuss-Brot.

6 Dollar 96. Inklusive Steuern.

Auffallend viele alte Menschen in Rollstühlen und orthodoxe Juden unterwegs. Suche einen ruhigen Platz. Finde keinen. Setze mich in die Nähe der Abfertigung auf zerschlissene und löchrige schwarze Kunstlederbänke. Mit Blick aufs Rollfeld. Es regnet. In Strömen. Der Himmel ist flächig grau. Rote und blaue Gepäckwagen tuckern zwischen den Airbussen und Boeings hin und her. Die Wege sind markiert. Lämpchen flackern.

Eine Zeitung liegt auf der Bank. Eine Zeitung. Aus Papier. Eine totgeweihte, wenn mich nicht alles täuscht. Ich nehme sie in die Hand. Erst jetzt sehe ich, dass es der *Guardian* ist. Wirkt ein wenig deplatziert. Hier. Überfliege die Schlagzeilen: *64 geköpfte Menschen in Mexiko. Prinz Harry beim Tischtennis verloren. Labour im freien Fall.*

Links von mir sitzt ein kleines Mädchen. Sie hält einen Teddybären mit beiden Armen fest umklammert und schlägt mit ihren Füßen unrhythmisch gegen den Stuhl. Ihre Mutter hat längst aufgegeben, sie zu ermahnen. Sie stiert nur geradeaus, irgendwohin, wo niemand ist, nur sie selbst. Der Vater, ein Mittdreißiger, trägt ein rosafarbenes Polohemd und tippt unentwegt etwas in sein Smartphone hinein. Die Waltons sahen glücklicher aus.

Rechts von mir sitzt ein älterer Mann mit komischen Augen. Ich weiß nicht, wie er es in den Flughafen geschafft hat. Auf Flughäfen sieht man Menschen mit komischen Augen nicht so gerne. Er schreibt etwas auf ein braunes Pappschild. Ziemlich lange. Als er fertig ist, dreht er es um und zeigt es mir. Ich weiß nicht, ob er um Geld bettelt oder ob er möchte, dass man Mitglied seiner Sekte wird, ich weiß nur, dass er es schwer haben wird, mit diesem Text erfolgreich zu sein. Auf dem Schild steht: *Du bist blind. Du willst es so. Denn wenn du die Augen öffnest, siehst du all die hässlichen Dinge, die diese Welt ausmachen. Und das willst du nicht sehen, das verdirbt den Charakter. Du hast auch gar keine Zeit, dich für all das zu schämen, was um dich herum passiert, was du zulässt, jeden Tag aufs Neue. Du bist zufrieden in deiner kleinen Welt, solange du blind bist. Schau mich an. Kurz bevor du stirbst, wirst du erkennen, wie unfassbar sinnlos dein Leben war. Du hast nichts erschaffen, was von Bedeutung ist, du hast die Welt nicht besser gemacht, du hast nur gefressen, getrunken, gearbeitet und deine mickrigen Gene an deinen Nachwuchs vererbt, auf dass er das Gleiche tut. Wirst du die Augen öffnen? Nein, wirst du nicht. Du musst doch in Urlaub fliegen.*

Ich nicht.

Ich muss zu Whiplash.

Zu unserem alljährlichen Treffen. Na ja, Urlaub ist es eigentlich auch. Abends was trinken gehen, mit Ladies flirten, Pokern, Jungskram halt. Als mein Flug aufgerufen wird, schrecke ich kurz auf. American Airlines gehört nicht zu meinen Lieblingslinien, aber der Preis war okay, und abgestürzt sind sie auch noch nicht, jedenfalls nicht, wenn ich mit an Bord war.

Alles ist, wie es immer ist. Superfreundliche Begrüßung, Stau im Gang, Gepäckfach voll. Neben mir sitzt eine mittelalte Frau. Sandy. Immobilienmaklerin aus Ohio. Mehr erfahre ich nicht. Mehr will ich nicht erfahren. Drei Reihen weiter vorne schießen sich junge, blonde Frauen mit Gin Tonic weg, Junggesellinnenabschied, hurra. Ich wische in meiner digitalen Plattensammlung, setze den Kopfhörer auf und entscheide mich für Plingplingmusik. The White Birch, Sigur Rós und so. Ich döse weg, gedankenlos, kein Ziel, keine Orientierung, als ob ich schwimme, irgendwohin, wo nichts ist, es nichts gibt, nicht einmal mich selbst, bis eine Hand meine Schulter berührt und für kurze Zeit dort verweilt. Das Begleitpersonal. Mit dem falschen Lächeln. Die Stewardess verteilt etwas, das sie Saft nennt. Und einen Keks. Süß oder salzig? Süß.

Ich muss an das Foto denken, das ich gemacht habe. Als Beweis, als Belegexemplar. Menschen sehen komisch aus, mit einem Loch im Kopf. Irgendwie unecht. Es ist surreal und metaphysisch zugleich, wenn nur noch der Körper da ist, ohne Geist, ohne Leben. Unser aller Schicksal. Die Müdigkeit kehrt zurück, die Welt versinkt und der Flug vergeht wie im Flug.

Als wir Vegas erreichen, ist es immer noch dunkel. Das Lichtermeer inmitten der Schwärze sieht außerirdisch aus. Das Flughafengebäude nicht. Wie schon in Chicago habe ich das Gefühl, dass die Zeit hier in den Neunzigern stehengeblieben ist. Dafür aber gibt es eine kleine Armee von Spielautomaten, damit die Touristen gleich wissen, warum sie hier sind.

Ich gehe zur Gepäckausgabe und warte.

Und warte.

Und warte.

Nicht schon wieder.

Bitte nicht. Das zweite Mal in diesem Jahr.

Ich gehe zum Gepäckwachtmeister und hinterlasse meine Hotel-Adresse. Morgen, spätestens übermorgen soll ich meinen Koffer wiederbekommen. Schön.

Ich nehme den Shuttlebus zur *Car Rental Station*. Sie liegt außerhalb des Flughafens, auf einem eigenen Gelände. Mein Vermieter heißt Alamo. Ich muss an den Film mit John Wayne denken, an Helden, an Pathos, an Untergang. Zehn Minuten wird der Shuttle brauchen, ein Taxi wäre nicht schneller, nur komfortabler.

Eng ist es in dem Bus. Jeder Platz belegt. Die Koffer der Mitreisenden sind im Gang verstaut. Neben mir sitzt eine der Junggesellinnen. Elise, wie ihre Freundinnen sie nennen, als sie ihr auf den Platz helfen. Sie ist ziemlich hinüber. Von all den Gin Tonics. Sie lächelt mich an. Ich lächle zurück. Dann fällt ihr Kopf auf meine Schulter und sie nickt ein.

Als der Bus über einen Hubbel fährt, wacht Elise auf. Mit glasigen Augen blinzelt sie mich an. Sie scheint nachzudenken.

»Isch liebe dich«, sagt sie. Elise ist eine attraktive Mittzwanzigerin mit dem Mundgeruch eines siebzigjährigen Truckers nach einer durchzechten Nacht mit zwei Huren und drei Flaschen Jack Daniels, der den Gestank mit einem Liter Eau de Toilette zu kaschieren versucht.

»Verzeihung …«, sage ich.

»Wirklich, isch liebe dich. Wer bist du?« Sie stößt kurz auf und tätschelt meine Wange, als müsste sie die Echtheit überprüfen.

»Ich …«

»Der Lügner oder der Verlogene?«

»Bitte?«

»Mit einem Lügner kann ich leben, mit einem Verlogenen nicht«, sagt sie und stößt erneut auf. Unmenschlich.

»Ich verstehe immer noch nicht.«

»Der Lügner, weißt du, Schätzchen, der Lügner sagt, er war mit Freunden beim Boxen, während er es einer billigen Bitch in Fannys Diner von hinten besorgt, der aber immer zu mir steht, was immer auch passiert, ganz gleich, was, verstehst du, immer. Kellner!«, sagt sie zu einem der Mitreisenden, »zwei Gin Tonic. Der Verlogene«, sagt sie wieder in meine Richtung, »ist jemand, der mir tausend Mal am Tag sagt, wie sehr er mich liebt, und sich dann bei der zweitbesten Gelegenheit verpisst.«

»Ah.«

»Wer also bist du?«

»Ich denke, der Lügner.«

»Brav.« Und dann nickt ihr Kopf zurück auf meine Schulter und sie schläft wieder ein.

An der Mietstation angekommen, lege ich Elises Kopf vorsichtig zur Seite. Sie hat auf mein Jackett gesabbert. Ihre Freundin ist wach geworden, sie wird sich um sie kümmern. Ich steige aus, der Einzige ohne Koffer.

Die Sonne geht auf. Es wird wärmer. 32 Grad sollen es heute werden. Laut *Las Vegas Sun*.

Die Halle ist riesig, um diese Uhrzeit aber noch trostlos leer. Alamo befindet sich auf der linken Seite. Zwei Schalter sind offen. Einer ist belegt, mit einem Pärchen aus Osteuropa, das schwerfälliges Englisch spricht. Ich gehe zu dem freien Schalter. Sam, mein persönlicher Ansprechpartner, wie sein Anstecker ihn ausweist, sieht nicht aus wie John Wayne. Er ist massiv übergewichtig, trägt Glatze und eine randlose runde Brille. Die blütenweißen Ärmel seines Hemds sind sorgsam aufgekrempelt, die fleischigen Unterarme kommen bestens zur Geltung. Außerdem trägt er ein reduziertes, in sich ruhendes und gänzlich friedfertiges Lächeln. Er sieht irre sympathisch aus. Ist er auch. Sam fragt mit warmer und fast zärtlicher Stimme, wie es mir geht, ob ich einen guten Flug hatte, was mich nach Vegas führt und ob ich mental bereit sei, für das Abenteuer meines Lebens in der verrücktesten Stadt diesseits des Mississippi und jenseits der Vernunft. Ich sage irgendetwas wie *Jep* und fühle mich seltsam willkommen. Dann blickt Sam auf seinen Bildschirm und schreckt zurück, als wäre ihm der Leibhaftige leibhaftig erschienen. Er sagt: »Das muss ein Missverständnis sein oder ein ganz, ganz schlechter Scherz meiner Kollegen, aber ich kann nicht ernsthaft davon ausgehen, dass Sie die Kompakt-Klasse, einen Nissan Versa, gebucht haben. Ein Mann wie Sie, der mich an Steve McQueen in *Bullitt* erinnert. Unmöglich.«

Schäkert Sam mit mir?

Nein.

Unsinn. Aber er scheint ernsthaft schockiert. Das kann man sehen. Deutlich. Glücklicherweise kann Sam den Fehler korrigieren. Für 14 Dollar zusätzlich. Pro Tag. Und auch nur, weil ich es bin, Billy, falls er mich so nennen darf, Billy, the Rocketeer. Er habe da gerade ein Rennpferd in der Garage, Schmuckstück, das nur auf den passenden Fahrer gewartet hat, und der stehe nun vor ihm, leibhaftig, große Freude.

Aus seinem Mund klingt es nicht anbiedernd, nur freundlich, nahezu fürsorglich. Ich bin nicht sicher, sage ich. Falsche Antwort. Ich spüre sogleich die zentnerschwere Last seiner Enttäuschung auf mir, mit Seehundbabyaugen und so, und als Sam dann noch mit leiser, fast brüchiger Stimme sagt, dass er mir nichts andrehen wolle, dass er kein schlechter Mensch sei, und als er dann noch meine Hand nimmt und mich bittet, ihm zu vertrauen, nur dieses eine Mal, da kann ich nicht anders.

Ich unterschreibe alle möglichen Papiere und wünsche noch einen wunderschönen Tag. Als ich mich umdrehe und gehe, spüre ich seinen Blick auf meinem Arsch, ich kann es förmlich fühlen, für einen kurzen Moment nur, und es ist okay, und ich muss lächeln.

In der Parkgarage blickt ein eifriger junger Mann im Kapuzenshirt auf meine Papiere und zeigt mir das Auto.

Den Mustang.

Knallrot.

Cabrio.

Es sieht aus wie ein Matchbox-Auto in Groß. Das Pferd auf der Kühlerhaube hat Stil, keine Frage. Aber sonst? Hm. Ich falle nur ungern auf. Mit diesem Auto kann man nur auffallen. Was soll's. Ich bin nur einmal in Vegas, wie Sam sagt, und da hat er wohl Recht. Der Schlüssel steckt.

ROOOAAM.

So klingen sportliche Autos in Comics. Und genau so klingt auch der Mustang. Ich lege D wie Drive ein, verlasse das Parkhaus und wundere mich, wie gemütlich der Schlitten über den grauen Asphalt gleitet. Von Sportlichkeit kaum noch eine Spur.

Ich hole während der Fahrt mein iPad aus der Tasche und öffne den Ordner *Wüste* für den passenden Soundtrack. Wenn schon, dann das volle Programm: Black Keys, Wolfmother, Kyuss und Gott Hendrix. Klar.

Ich fahre die 95 hoch. Richtung Death Valley. Zum Badwater Baisin, dem tiefsten Punkt in diesem Land. Frankie hat mir davon erzählt. Er war mal dort, und er meinte, ich solle unbedingt diesen Abstecher machen, wenn ich einmal hören möchte, wie die absolute Stille klingt. Möchte ich. Den genauen Weg weiß ich gar nicht. Nur ungefähr. Das Auto hat kein Navi. Merkwürdig für diese Preisklasse. Aber es macht nichts. Auch nicht, wenn ich mich verfahre. Ich lasse mich treiben. Ankommen werde ich so oder so.

Nevada ist anders. Zweimal war ich bisher in Amerika. Beide Male an der Ostküste. In der bekanntesten Stadt der Welt. Der Westen ist mir neu. Das Staubige, das Felsige, diese unendliche Landschaft. Kommt mir gerade recht. Ich öffne das

Beifahrerfenster und lasse die Luft herein, ich möchte sie spüren, die Luft. Aber schon nach wenigen Minuten ist die Klimaanlage machtlos. Ich halte den Kopf kurz raus, in den Fahrtwind, doch als Sandkörner zwischen meinen Zähnen knirschen, schließe ich das Fenster wieder. Der Wagen kühlt sich schnell auf angenehme 22 Grad runter.

Wenig Verkehr hier draußen. Ab und an ein Wagen, der entgegenkommt, nicht selten einer dieser mächtigen LKWs mit Hupen, wie Dampfschiffe sie haben. Der Asphalt schlängelt sich kleine Anhöhen hinauf und wieder hinab, die Sicht ist grenzenlos, nur die Erdkrümmung spielt Horizont, verschwommen, zitternd, unsicher. Die Landschaft ist karg und sie ist warm, von Sandfarben zu Hellgelb, von Orange zu Rostrot. Wenig Grün, dafür ein Blau des Himmels, das ich so nicht kenne, er sieht so sauber aus, der Himmel, so rein.

Der Mensch hat nur wenige Spuren hinterlassen. Mal ein Windrad, mal ein Wassertank. Und dann wieder nichts. Nur Steine. Und Sand. Und Sträucher. Vereinzelte Häuser stehen einsam auf endlosen Steppen, sehen aus, als habe sie jemand einfach nur dort hingesetzt, wie ein Stück Spielzeug. Was es wohl bedeutet, so zu leben, so einödig, so verlassen. Kaum Abwechslung, nur Weiden, auf denen Pferde träge grasen und mit ihrem Schweif Fliegen wegpeitschen. Krähen hängen auf Zäunen ab, beobachten das Geschehen um sich herum, warten auf eine günstige Gelegenheit, worauf auch immer. Rostige, verdellte Briefkästen stehen in Reihe am Wegesrand, schief ins Erdinnere gepfahlt, bereit, Post aus aller Welt zu empfangen. Je weiter ich mich von der Zivilisation entferne, desto mehr fahre ich in die Zeit zurück.

Ich halte an einer Tankstelle, die wie gemalt aussieht. Zwei Zapfsäulen im Nichts und ein kleines *Einkaufsparadies* von der Größe eines Wartezimmers. Ich muss nicht tanken. Ich habe Durst. Die Tür knirscht. Hinter dem Tresen sitzt ein alter Mann, der in einer Zeitschrift blättert. Kundschaft interessiert ihn nicht so sehr. Ich kaufe eine gelbe Sonnenbrille, die eine Idee zu auffällig ist, zwei Flaschen Wasser und Lutschpastillen, Pfefferminze. Als ich wieder rausgehe, sehe ich einen Pick-up an der Zapfsäule. Ein Junge, vielleicht 16 oder 17, sitzt auf der Motorhaube. Er trägt lange Haare, eine kurze Hose, klobige Schuhe und ein Hüsker-Dü-T-Shirt. Eigentlich sieht er mehr nach Grunge aus. So, wie ich auch einmal für eine kurze Zeit ausgesehen habe.

Ich steige wieder ein und fahre weiter. Ich muss daran denken, wie ich mit Ausbruch der Pubertät kein Highlander mehr sein wollte, auch kein Punkrocker und auch kein Mod. Ich wollte anders sein. Ich wollte aus einem schäbigen Vorort aus Seattle stammen, mit trostloser Jugend zwischen Wal Mart und Kentucky Fried Chicken, ich wollte mit dem Skateboard auf einsamen Parkplätzen rollen und verliebt sein in Cindy, die Cheerleaderin, die aber nur Augen für Chad hatte, den scheiß Quarterback. Ich ließ mir die Haare lang wachsen, trug karierte Wollhemden, abgeschnittene Cargos und träumte davon, eine Stimme wie Eddie, Layne oder Kurt zu haben.

Ich war jung.

Ich bin erst 34 Jahre alt, aber manchmal fühle ich mich schon wie ein Veteran. Früher aber war nicht alles besser, sagt Onkel Seamus immer, da war nur alles anders, und das war schon immer so.

Und jetzt fahre ich hier mutterseelenallein durch die Wüste, es läuft *Foxy Lady* und es fühlt sich ganz okay an.

**6** In meiner Kindheit war Onkel Seamus das unbestrittene, unantastbare, uneingeschränkte Familienoberhaupt. Obwohl jeder in der Familie wusste, dass selbstverständlich Tante Livi das unbestrittene, unantastbare, uneingeschränkte Familienoberhaupt war. Denn immer wenn es um die wahrhaft wichtigen Entscheidungen ging, um Finanzen, Erziehung oder Weltfrieden, dann gab es nur eine relevante Instanz im Haus. Aber sie war immer großzügig und selbstlos genug, die Entscheidungen Onkel Seamus verlauten zu lassen, so dass nach außen hin die Maskerade gewahrt blieb, vom starken Mann im Haus. Und ich glaube, das war etwas, was Onkel Seamus an Tante Livi sehr schätzte, diese ungeheure Souveränität. Außerdem war sie ein ziemlich »heißer Feger«, wie er immer betont, wenn er ein, zwei Liter über den Durst getrunken hat.

Dass Tante Livi ein heißer Feger war, kann ich nicht bestätigen. Ich habe sie nie so gesehen, nie so *an*gesehen. Tante Livi war für mich immer der Inbegriff von Zuhausesein. Ich mochte sie sehr. Ihre unerschütterliche Ruhe und ihre polternde Lebenslust, ihre bedingungslose Offenheit und die Art, wie sie vor dem Spiegel stand und ihre Haare zu einem Dutt hochsteckte. Ich mochte es, wenn sie mir beiläufig über den Kopf strich oder Frankie an den Ohren zog und ihn ermahnte, nicht so grob zu sein. Und ich liebte ihre Zauberkunst und all die Dinge, die sie in ihrer »Hexenküche« fabrizierte, egal ob Trifle, Crumpets, Porridge, Shortbread oder Rumbledethumps, es war immer ein Fest, und als ich noch Fleisch gegessen habe, da konnte ich sogar ihr Haggis schlucken, ohne gleich zu erbrechen. Dabei war mir die Vorstellung von Tierinnereien schon immer zuwider. Aber Tante Livi buk und kochte mit einer solchen Hingabe, dass es nur schmecken konnte, ganz gleich, was es war. Sie war das Zentrum, der Pol, die heilige Macht und das Herz der Familie.

Ihr Musikgeschmack war die Hölle.

Tante Livi hörte Sonntagabends immer Radio. BBC 2. Sie liebte die Cliff Adams Singers, sie war damit aufgewachsen, und sie hielt es für eine gute Idee, dass auch wir damit groß wurden. Aus Tradition sozusagen. Ich habe es gehasst. Ich weiß nicht, wie ich die Musik beschreiben soll. Buttercreme? Es war ein Chor, der Schnulzen sang. Und es klang unfassbar gestrig. Tante Livi konnte jedes Lied auswendig mitsingen, was sie auch immer leidenschaftlich tat. Zugegebenermaßen gar nicht mal so schlecht. Dazu gab es für alle ein Glas Ovomaltine. Seither verbinde ich Malzgeschmack mit Herzschmerz.

Wenn Dougie MacLean, Archie Fisher oder Aly Bain in der Nähe gastierten, musste die ganze Familie mit. Wir besuchten jedes kleine Festival, das im Umkreis von hundert Meilen stattfand und auf dem die hiesige Folk-Elite ihr Stelldichein gab. Das war erträglicher, aber Begeisterung konnte ich nicht dafür aufbringen, ich war jung und so was von zu alt für diesen *Scheiß*, aber ich weiß auch noch, dass ich dieses Beisammensein immer mochte, es mochte, den Menschen beim Tanzen und beim Singen zuzusehen, es mochte, in diese fröhlichen, betrunkenen, traurigen und verwirrten Gesichter zu schauen, in denen so viel zu entdecken, von denen so viel zu lernen war.

Wir sprachen nie über die Arbeit, wenn Tante Livi zugegen war. Und ich wusste nie, welche Rolle sie in der Firma spielte, wie weit sie eingeweiht war und was sie von all den Fällen, Urteilen und Taten so hielt. Nur ein einziges Mal bekam ich eine ungefähre Ahnung von ihrer Sicht der Dinge. Ich war 12 Jahre alt, Onkel Seamus hatte uns mit ins Kino genommen, das einzige Kino in unserer Stadt, ein Programmkino, in dem, zum Leidweisen der Jungen, vor allem alte Schinken gespielt wurden. Mittwochs aber war Western-Tag, und Western war selbstverständlich grandios, egal wie alt. Es gab *Hängt ihn höher*. Episch, die Bilder, die Handlung, die Musik, einfach alles. Und als wir wieder zu Hause waren, rannte ich in die Küche, aus der es so heimelig nach minziger Erbsensuppe roch, und ich war noch ganz aufgewühlt, von dem Film, von Clint Eastwood und seinen Narben am Hals und der Art wie er seinen Revolver aus dem Halfter zog und so. Am Herd stand Tante Livi, in ihrer weißen Schürze, mit Bernhard, dem Esel, als fotografisches Konterfei. Sie lächelte mich an, mit diesem Ich-werde-immer-auf-dich-aufpassen-Lächeln, und ich fragte sie, weil es die ganze Zeit über schon in meinem Kopf spukte, diese Sache mit der Rache, ob es eigentlich okay sei, einen Menschen zu töten, und sie sagte, ohne zu zögern: »Aber natürlich, mein Schatz.« Das Gleiche sagte sie auch, wenn ich fragte, ob ich noch einen Keks haben dürfe. Sie war der gutmütigste Mensch, dem ich in meinem Leben begegnet bin, und doch konnte ich in ihren Augen immer etwas sehen, das mit Gnade nichts zu tun hatte.

Meine Familie war ein Teil meiner Sozialisation.

Ein anderer die Einwohner von Duffmore. Ob ich nun wollte oder nicht. Bei vielen wollte ich. Bei manchen war ich mir nicht so sicher. Wie zum Beispiel bei *Psychoboy*, wie wir Kinder ihn nannten.

Wilbur. Wilbur MacBride. Bei Wilbur hatte selbst Frankie ein mulmiges Gefühl. Er lebt im Südosten der Stadt oben in der Stafford-Siedlung, in einer Sackgasse am Ende der Peddington Road. Wilbur ist kein Einzelgänger. Wilbur ist *der* Einzelgänger. Der Prototyp. Der, an dem sich alle anderen Einzelgänger messen müssen. Ich habe Wilbur noch kein einziges Mal mit jemandem reden hören. Er grüßt auch nicht. Niemanden. Er spricht nur mit sich selbst beziehungsweise mit dem Boden, auf dem er geht. Als würde er dort etwas suchen, was er vor Äonen einmal verloren hat. Manchmal spricht er ein breites Aberdonian und dann plötzlich lautmalt er seine unzusammenhängenden Wörter mit einem Edinburgher Akzent. Was genau Wilbur macht, weiß niemand. Ein paar Jahre soll er im Schlachthof von *Three Little Pigs* in Glasgow gearbeitet haben. Und eine Zeitlang saß er wohl in Peterhead ein, niemand aber wusste genau warum, es gab nur Gerüchte, die wildesten natürlich. Wenn Wilbur das Haus verlässt, dann nur mit seinem Jutebeutel, den er immer über seine rechte Schulter hängt und auf dem das merkwürdige Wort *Steiff* steht. Sobald es über zehn Grad hat, trägt Wilbur Muskelshirts. Nicht, dass er sonderlich muskulös wäre, er neigt zur Dicklichkeit. Wahrscheinlich zeigt er einfach nur gerne seine Kunst. Er hat mindestens zwanzig Tätowierungen. Am ganzen Körper, auch auf den Händen, nur nicht im Gesicht. Ich habe noch nie angsteinflößendere Bilder auf menschlicher Haut gesehen. Alle Tattoos zeigen das gleiche Motiv. Es sind Teddybären. Mit schwarzen Knopfaugen. Und in den ganz seltenen Momenten, in denen Wilbur mal vom Boden aufblickt und einen direkt anschaut, ist der Schreck groß, denn er hat die gleichen schwarzen Knopfaugen wie die Teddybären. Leer. Kalt. Tot.

Aber eigentlich sind alle Städte voll von diesen merkwürdigen Seelen, man muss nur genau hinschauen, was selbstverständlich schwierig ist, wenn man nur auf Bildschirme starrt. Ich könnte auch noch von Sue aus Malcoms Fish-and-Chips-Laden erzählen, die immer Gedichte schrieb über Kermit, den Fisch, der ein Frosch sein wollte, oder von Willie von der Müllabfuhr, der mir immer Pornohefte zusteckte, die er in den Säcken fand und die alle so komisch gerochen haben. Es waren

Begegnungen, die meine Bilder prägten, von Menschen, von Individuen. Aber wenn ich einen hervorheben sollte, der mich in meiner Kindheit noch ganz ungemein beeinflusst hat, dann ist es wohl Jean.

Der große schwarze Mann.

Onkel Seamus' bester Freund aus Birminghamer Zeiten. Jean ist nicht nur von elitärer Herkunft, in den frühen Achtzigern war er auch einer der Topboys der Zulu Warriors, der Firma, wie es heißt, der Hooligan-Firma, bis man ihm ein Messer in den Rücken stach und er genug von der *Dritten Halbzeit* hatte. Vor über 20 Jahren ist er dann Onkel Seamus gefolgt und nach Duffmore gezogen. Jean ist nicht nur ein Ex-Hooligan, er ist auch ein wandelndes HipHop-Lexikon. Eine Zeitlang war er Roadie bei Run DMC und den Beastie Boys, für kleine Jungs wie mich somit offiziell ein Gott. Die Geschichten, die er erzählte, waren spannender als Fernsehen und Literatur zusammen, er war mein Lieblingslehrer.

Jean ist der einzige Mensch, der von der Firma weiß, obwohl er nicht daran beteiligt ist. Er wollte nie dazugehören. Aber er respektiert sie. Er hat es vorgezogen, ins Hotelgeschäft einzusteigen, und wurde ein erfolgreicher Geschäftsmann. Mit einer 5-Sterne-Herberge drei Meilen außerhalb der Stadt. Das Druimard House. Die Sterne hat er selbst aufgemalt. Das Komische ist, dass die Touristen ihm glauben. Die Zimmer sind so spartanisch eingerichtet, dass der moderne Mitteleuropäer es für Design hält. Es gibt nicht einmal fließend Wasser. Und auch die Elektrizität ist von launischer Natur. Aber die Touristen scheinen es aus irgendeinem Grund zu lieben, Wasser aus einem Brunnen zu holen, sich in einem Trog zu waschen und für den Toilettengang eine im Winter selbstverständlich nicht beheizbare Bretterbude außerhalb der *Villa* aufzusuchen. Die fünf Zimmer sind fast immer belegt. Das Hotel hat eine Auslastung von 95 Prozent, wie Jean bei jeder Gelegenheit stolz betont. Einer der Gründe dürfte Jeans legendäre Erzählkunst sein, die von einer bebenden, wispernden, wütenden, schmollenden, grollenden und liebreizenden Stimme getragen wird. Er gibt jedoch nicht nur die üblichen Geschichten von den Hinrichtungen auf dem Grassmarket in Edinburgh oder dem Massaker an den MacDonalds durch den »Hurensohn« Robert Campbell of Glenlyon zum Besten. Es sind vor allem die ungeschriebenen Geschichten, die die Gäste so lieben, die selbst diese fanatischen deutschen Geschichtslehrer, die mehr über Schottlands Geschichte wissen als alle Einwohner Duffmores zusammen, in ihren Bann ziehen. Geschichten, in denen selbstverständlich auch Hochmoore, Steinkreise, Grabkammern und die Guillotine vorkommen, denn ohne geht es nicht, die aber alle nur durch Jeans Fantasie zum Leben erweckt werden und von wunderschöner Schaurigkeit sind.

Jeans zweite große Leidenschaft ist das Stricken. Es sieht natürlich komisch aus, wenn ein zwei Meter großer muskelbepackter Schwarzer mit großflächigen Tätowierungen in einem Ohrensessel sitzt und voller Hingabe einen Pullover strickt. Aber so habe ich ihn vor Augen und es ist mein Lieblingsbild. Er war es auch, der das alljährliche Strick-Festival ins Leben gerufen hat. Eines der erfolgreichsten Festivals in Duffmore überhaupt. Aus dem ganzen Land pilgern die Strickbegeisterten an und stricken, als gäbe es kein Morgen. Die Ergebnisse werden dann zugunsten des örtlichen Tierheims versteigert. Zum Geburtstag bekommen Freunde und Familie von Jean selbstverständlich Selbstgestricktes. Mit Liebe gemacht. Leider. Für mich hat er zwei Pullover, drei Wollmützen, einen Schal und fünf Paar Socken gestrickt. Meistens sehr bunt. Weshalb ich auch nur etwas davon anziehe, wenn ich weiß, dass ich Jean treffe. Er ist dann immer so begeistert und macht einem Komplimente, wie gut man aussehe und so.

Jean war es auch, der Onkel Seamus wieder Halt gegeben hat, als Tante Livi starb.

Er war es, der ihn jeden Tag besuchte, Spaziergänge unternahm, ob Onkel Seamus wollte oder nicht, der mit ihm redete, mit ihm schwieg und ihn in die Seite boxte, wenn er sich zu sehr gehen ließ. Wir Kinder waren keine große Hilfe, wir waren selbst völlig verloren.

Es war Herbst, die Blätter wurden braun und fielen von den Bäumen, und der Wind wuschte sie auf die Gehwege und in die Vorgärten, als Onkel Seamus die Nachricht von dem Autounfall erhielt. Er ließ das Telefon einfach fallen, ging in die Küche, nahm sich ein Glas Milch, setzte sich hin und kratzte mit seiner rechten Hand gedankenverloren über den Holztisch, bis alles voller Blut war.

Über 250 Menschen sind zu Tante Livis Beerdigung gekommen. Es regnete ganz standesgemäß in Strömen. Doch alle waren vorbereitet und niemand verpasste den anschließenden Schmaus und das gepflegte Besäufnis. Es mündete in einem rauschenden Fest, wie fast alle der wahrhaft großen Begräbnisse in unserer Stadt. Es gab all die Weißt-du-noch-Geschichten über Tante Livi, in denen sie mal die große Heroine war, die die Welt rettete, und dann auch wieder die Hydra, die mit einem herzenswarmen Lächeln unliebsame Nachbarinnen vernichtete. Onkel Seamus aber saß nur stumm in seinem geliebten Chesterfield-Sessel. Er trank keinen einzigen Schluck Alkohol. Er saß nur da. Und blickte irgendwohin. Trotz all der Anteilnahme und Hilfe von Freunden und Familie dauerte es fast zwei Jahre, bis aus Trauer Traurigkeit wurde, und noch weitere zwei Jahre, bis die Einsamkeit ins Sentimentale umschlug. Keiner von uns hat sich von diesem Verlust erholt, aber bei Onkel Seamus war es tatsächlich so, dass ein Teil von ihm gestorben ist.

# 7

Seit ich in Vegas bin, habe ich das diffuse Gefühl, verfolgt zu werden.

Aber das ist Unsinn.

So geht es mir oft nach einem Job.

Paranoide Überreaktion.

Ich frage mich, wie Whip drauf sein wird. Über ein Jahr haben wir uns nicht gesehen. Er hat meine Nummer. Er ruft mich an. Nicht ich ihn. So läuft es immer. Keine Ausnahme. Whiplash ist natürlich nicht sein richtiger Name, es muss irgendetwas mit Marvel zu tun haben, den Comics. Ich nenne ihn meistens nur Whip. Er hat nichts dagegen. Ich glaube, es gefällt ihm sogar. Er ist eine unfassbar große Hilfe, seit er bei uns ist. Ich weiß gar nicht, wie wir jemals ohne ihn auskommen konnten. Whip hat uns gefunden, nicht wir ihn. Vor acht Jahren war das. Da unsere geschäftliche Kommunikation nur über das gute alte Postwesen und ziemlich verzwickte Scheinadressen läuft, brauchte er fast ein ganzes Jahr, um uns aufzuspüren. Wir waren schockiert, dass man uns überhaupt ausfindig machen konnte, Whip, dass er so lange dafür gebraucht hatte. Er war 19 Jahre alt und schon ein Superstar in der Hackerszene. Eigentlich hat er Physik und Mathematik studiert, aber als er es nicht unter die zehn Besten des Landes schaffte, brach er die Uni ab und konzentrierte sich auf seine Leidenschaft: Das Codieren, Dechiffrieren und Programmieren. Er ist einer, der Programme tatsächlich liebt, Watson zum Beispiel betrachtet er als einen Freund.

Er ist unsere Versicherung. Ein Gefährte. Ein Teil der Familie.

Whip bezeichnet sich selbst als klassischen Hobo. Immer unterwegs. Ein Wanderarbeiter. Alle sechs Monate zieht er um. Er besitzt nicht viel. Drei Laptops, ein paar Klamotten und seine rote Kaffeetasse mit der Aufschrift *Pi Man*. Momentan lebt er also in Vegas. Das passt. Wird lustig. Whip ist lustig.

Vorher werde ich den tiefsten Punkt Amerikas aufsuchen. Ich bin gespannt. Auf die Stille. Ja, vor allem auf die Stille.

Es ist jetzt kurz nach neun und die Sonne wird immer stärker. Ich schalte die Klimaanlage eine Stufe höher.

Kaum Verkehr. Wenig bis gar keine Zivilisation. Meditative Fortbewegung. Ich glaube, ich habe mich verfahren. Aber es ist egal. Es ist trotzdem groß. Alle paar Meilen stehen ein paar alte Bretterbuden am Wegesrand. Indianer und Mexikaner nutzen sie, um dort ihre Waren zu verkaufen. Ich brauche noch Mitbringsel für die Familie. Polly hat sich etwas »Authentisches« gewünscht. Und die Buden sehen authentisch aus. Sie stehen einfach so im Nichts. Hinter ihnen ist nur Landschaft. Steppe, Steine, Berge. Meilenweit.

An einer der großen Buchten fahre ich raus. Ich bin zu schnell, bremse zu hart. Das Hinterteil rutscht weg und der Schotter spritzt zur Seite.

Peinlich.

Ich steige aus. Der aufgewirbelte Staub reicht bis zu meinen Oberschenkeln. Die Luft ist trocken und stickig, die Sonne blendet. Ich halte mir die Hand vor die Stirn, aber es ist immer noch zu hell. Meine Augen tränen. Alles ist intensiver. Alles. Merkwürdiges Land. Ich setze meine Sonnenbrille auf, um überhaupt etwas sehen zu können.

Es gibt fünf Bretterbuden auf dem Platz. Aber nur eine ist belegt. Von einem Indianer. Der Schmuck verkauft. Er ist mit einem braunen Toyota-Pick-up gekommen, der an der Seite parkt. Whip hat mich gewarnt, ich solle nicht mit den Indianern spielen, hat er gesagt, die seien nicht unbedingt so, wie ich sie mir wünschen würde, selbst dann nicht, wenn sie *Vogel mit großem Schnabel* oder *Regen fällt durch das Dach* heißen. Manche seien immer noch ziemlich pissed wegen damals und so. Und das Thema Alkohol solle ich auf gar keinen Fall ansprechen. 80 Prozent der Indianer, die mit Alkohol anfangen, seien Alkoholiker. Und drei Mal dürfe ich raten, wer schuld sei. Auf Pocken und Syphilis seien sie auch nicht gut zu sprechen. Aber ich mache mir da keine Sorgen. Ich war immer für die Indianer. Als kleines Kind schon. Als man sich entscheiden musste, für Cowboy oder Indianer. Leichte Wahl. Schotten und Indianer sind sich ähnlicher, als man auf den ersten Blick vielleicht denkt. Auch wir waren einst Nomaden. Es blieb uns ja auch nichts anderes übrig. Unsere Clans wurden entweder von den Kelten aus dem Norden oder den Engländern aus dem Süden angegriffen und vertrieben oder aber, die ganz kluge Variante, die Clans schlachteten sich untereinander ab, weil sich irgend jemand beleidigt fühlte. Außerdem verbindet uns das Ausgegrenztwerden. Als die Ulster-Schotten nach Amerika auswanderten, waren sie keine willkommenen Gäste, nicht beliebt, nie gewollt. Sie hießen Crackers, weiße Wilde oder europäische Indianer, wegen ihrer zügellosen Brutalität und mangelnden Anpassungsfähigkeit. Wir sind also quasi Blutsbrüder. Und ich erwarte auch keine Folklore und keinen Trachtenlook, ich laufe ja auch nicht mit Kilt und Dudelsack herum. Das passt schon.

Der Indianer ist kräftig, um *pummelig* etwas höflicher zu formulieren. Seine langen schwarzen Haare sind zu einem Zopf gebunden. Oben und an den Seiten zeugen ein paar graue Strähnen von Erfahrung. Der Zorn ist also längst der Weisheit gewichen. Er hat dunkelbraune Augen und eine große Nase. An seiner rechten Wange ist eine Narbe zu sehen, fünf Zentimeter lang, könnte ein Messer gewesen sein. Er trägt Bluejeans und ein rotes T-Shirt mit der Aufschrift *Pride*. Neben ihm sitzt ein Wolfshund. Ein ungewöhnlich großes Exemplar. Er knurrt mich zur Begrüßung an. Und dieses Knurren muss von ganz weit unten kommen, denn es hört sich an wie ein Vulkan kurz vor dem Ausbruch.

Ich setze die Sonnenbrille ab und sage Hallo.

Der Indianer sagt nichts.

Er schaut mich nur an. Mit festem Blick. Als suche er meine Seele. Ich möchte ihn da nicht enttäuschen und schaue auf die Auslage.

Der Wolfshund knurrt in einem durch.

Kein guter Start. Denke ich. Kann passieren. Passiert. Ich versuche, mich auf die Ware zu konzentrieren. Es gibt zwei Bereiche. Auf der rechten Seite Schmuck, auf der linken Pflanzen. Indianische Heilpflanzen, um genauer zu sein. Steht auf dem handgeschriebenen Pappschild. Neben den getrockneten Pflanzen liegen kleine Zettel mit der genauen Bezeichnung der jeweiligen Wundermittel. Wie sie wirken, steht nicht darauf. Eine gute Möglichkeit, um das Gespräch wieder in Gang zu bringen. Nur, wie rede ich ihn an? Herr Indianer? Wäre vielleicht ein Wellenbrecher. Aber Humor ist kompliziert, und man kann das auch leicht falsch verstehen. Spricht er überhaupt Englisch? Schweigegelübde?

»Lilienwurzeln«, sage ich. »Sehr interessant. Gegen was hilft das?«

Der Indianer legt den Kopf ein wenig schräg. Er fixiert mich nach wie vor.

»Wurmbefall.«

Seine Stimme ähnelt der des Wolfshundes, warm und tief, voll der Bässe und knisternd im Nachklang. Nicht direkt freundlich. Überlegen. Ja. Als spreche eine Legende, von weit her, aus einer Zeit, die glorreicher war als diese.

Leider habe ich keinen Wurmbefall. Zumindest keinen, von dem ich wüsste.

»Ah, und das hier, die Schafgarbe.«

»Hämorrhoiden.«

Angespannt. Die Situation ist ein wenig angespannt. Ich frage mich, was ich falsch mache. Noch ein Versuch.

»Beifuß?«

»Menstruationsbeschwerden.«

Okay. Whip meinte, Indianer verkaufen meistens nur Klimbim, falls ich aber auf jemanden treffe, der Kräuter verkauft, soll ich ihn fragen, ob er Azteken-Salbei und Peyote hat, und ihm alle Vorräte abkaufen. Whips harte Drogenzeit ist eigentlich seit Jahren schon vorbei. Ich weiß nicht, was er damit will. Aber ich schulde ihm mehr als nur einen Gefallen. Und fragen kann man ja. Vielleicht wartet der Indianer ja nur auf diese Frage, vielleicht sind genau diese Art von Heilpflanzen sein Spezialgebiet.

»Haben Sie zufällig auch Azteken-Salbei oder Peyote im Angebot?«

Die erste Reaktion ist nicht vielversprechend. Das Hochziehen einer Augenbraue ist nie vielversprechend. In keiner Kultur. Der Wolfshund knurrt jetzt etwas lauter. Ich kann das Zahnfleisch sehen. Fletschen ist wohl der richtige Ausdruck.

»Sie verwechseln mich mit einem Dealer. Ich verkaufe keine heiligen Pflanzen an Touristen.«

»Entschuldigen Sie, ist für einen Freund, ich wollte nur fragen. Hätte ja sein können.«

»Für einen Freund, ja.«

»Ja.«

Peinlich lange Pause. Ich fühle mich ungemütlich. Ich muss jetzt irgendetwas kaufen. Alles andere wäre unhöflich. Aber die andere Hälfte des Tisches sieht schlimm aus. Handgearbeitete Folklore. Ketten aus Glasperlen, freundschaftliche Armbänder, die obligatorischen Traumfänger und sogar ein kunterbunt bemalter Tomahawk. Und? Keinen Skalp im Angebot? Denke ich. Ich muss kurz lächeln. Kaum wahrnehmbar. Nur der linke Mundwinkel. Einen Millimeter. Höchstens. Ich hoffe, er hat es nicht gesehen, es fehlte noch, dass er mich für …

Er hat es gesehen.

»Nein, ich habe keinen Skalp im Angebot.«

Das ist jetzt ein bisschen unheimlich.

Er kann unmöglich Gedanken lesen.

Unmöglich.

»Sie machen sich lustig …«, sagt er.

»Aber nein …«

»… über mein Handwerk. Über meine Kunst. Über meine Kultur.«

»Nein, Sie missverstehen, das ist nicht meine …«

»Ihr kommt hierher mit euren hochansteckenden Krankheiten und eurem giftigen Alkohol, vergewaltigt unser Land, unseren Glauben, unser Leben und zu guter Letzt macht ihr euch auch noch lustig über uns. Mein Name ist Naiche. In eurer Sprache übersetzt bedeutet es so viel wie *Unruhestifter*. Ich bin ein Apache vom Stamm der Chiricahua. Das Wort Apache bedeutet *Feind*. Ich habe *Kopf des Lachses, der aus dem Wasser ragt* vom Stamm der Miwok besiegt. Ich bin ein Nomade, es ist in meinem Blut, meine Ahnen waren schon Nomaden, seit ihr uns das Pferd brachtet. Die Prärie ist mein Körper, der Himmel meine Seele.«

»Ja, das verstehe ich …«

»Und um das eine ins rechte Licht zu rücken: Wir haben euch nicht skalpiert. Apachen skalpieren nicht. Comanchen, Soldaten, Siedler ja, Apachen nein. Wir haben euch einen ehrenwerten Tod gewährt. Wenn möglich. Wenn nicht, wenn ihr tollwütige Hunde wart, dann haben wir euch natürlich auch gefoltert. Besonders unsere Frauen haben das mit Leidenschaft getan, wenn ihre Männer durch eure Hände starben und ihre Babys auf euren Bajonetten aufgespießt ihren letzten Atem taten. Wir sind spirituelle und kreative Geschöpfe. Wir haben euch gelehrt, was uns die Konquistadoren und ehrenwerten Soldaten gelehrt haben, wir waren gute Schüler. Wir haben euch die Haut in Streifen abgezogen, eure Augenlider abgeschnitten und euren Kopf Richtung Sonne gedreht, euch an Pfähle gefesselt, die wir auf Ameisenhügel stellten, euch den Bauch aufgeschlitzt, damit unsere kleinen Freunde euch von innen auffressen konnten. Aber wir haben euch nicht im Stich gelassen. Wir sind bei euch gestanden und haben euch mit einem Eimer Wasser wieder wach gemacht, wenn ihr vor Schmerzen das Bewusstsein verloren habt. Wir wollten nicht, dass ihr auch nur eine einzige Sekunde eurer Reise verpasst. Wir haben verloren, ja, aber wir haben nie vergessen. Nicht das Leid, nicht den Stolz und nie den Weg. Die Tradition ist lebendiger als je zuvor. Die Ahnen rufen und wir hören, und wir geben weiter, von Generation zu Generation, denn heilig ist die Vergeltung und heilig unser Erbe. Die Frage, die sich mir nun stellt, ist: Wie gefallen Ihnen meine Traumfänger?«

Ich nehme drei von den Traumfängern, zwei Ringe, zwei Freundschaftsbänder, eine Glasperlenkette und beinahe auch den Tomahawk, kann mich im letzten Moment aber noch zusammenreißen. Ich fühle mich hypnotisiert. Von einem schlechten Gewissen. Das ich nicht einmal kenne. Nie begegnet. Ich bin nur ein Fremder. Nicht mehr. Wenn das eine Strategie ist, dann ist es eine gute. Ich bezahle, wünsche noch einen schönen Tag und fabelhafte Geschäfte.

Der Wolfshund knurrt zum Abschied etwas leiser.

Ich piepe den Mustang an, der bereitwillig die Türen freigibt. Im Innern ist noch immer eine angenehme Temperatur. Es riecht nach Vanille und nach Leder. Als ich den Schlüssel umdrehe, begrüßt mich mein Gefährt mit 400 PS.

Ich glaube, ich fange an, dieses Auto zu mögen. Ich liebe das gleichmäßige leise Brummen, das Schweben, die Harmonie, den Fluss, das Momentum und den unerschütterlichen Glauben, bis ans Ende der Welt fahren zu können. Und wer will uns schon aufhalten?

Ich schalte mein Tablet wieder ein und wähle den Ordner mit Jake Bugg und Robert Johnson.

Die Straße ist frei. Am Himmel kreist ein großer Vogel. Könnte ein Adler sein. Es sieht großartig aus. Er stürzt hinab. Er scheint es auf einen Kojoten abgesehen zu haben, der in der Steppe Haken schlägt.

Unglaublich.

Natur.

Liebe.

Ich verrenke mir beinahe den Hals.

Als ich mich wieder nach vorne drehe, ist es schon zu spät.

Ich kann nicht mehr ausweichen. Der Mustang und ich hüpfen. Über den Felsbrocken. Der einfach so auf der Straße liegt. Der den Unterboden aufschlitzt. Es ist deutlich zu hören. Der Mustang kommt ins Schlingern und ich schaffe es gerade noch, am Seitenstreifen anzuhalten.

Tief durchatmen.

Ich steige aus und schaue mir das Unglück von unten an. Ich habe nicht viel Ahnung von Autos, aber selbst ich kann erkennen, dass der Mustang in diesem Zustand keine große Zukunft mehr haben wird. Das Öl tropft schon. Ich nehme mein Handy. Kein Empfang. Ich kann warten, bis jemand vorbeikommt und mich abschleppt, oder weiterfahren, bis mein Gefährt nur noch Schrott ist, und hoffen, vorher eine Werkstatt oder, besser noch, einen Autohändler zu finden.

Ich entscheide mich für Variante zwei.

Der Mustang springt ohne Probleme wieder an. Aber er klingt nicht mehr so geschmeidig.

Immerhin funktioniert die Klimaanlage noch.

Nicht auszudenken bei dieser Hitze. Nicht auszudenken.

Und das Glück ist zum Glück auf meiner Seite.

Nach nur zwei Meilen sehe ich ein Schild.


Herman Zuwinden – Fabolous German Cars
Burning Tree – 3 Miles up North


Großartig. Deutsche Autos haben einen guten Ruf. Qualität, Sicherheit und Zuverlässigkeit sind ihre Zweitnamen. Burning Tree, wir kommen.



**8** Meine erste große Liebe war die Musik.

Das erste Mal mit ihr in Berührung kam ich im Alter von 9 Jahren. Es war auf dem Dachboden, den ich gerade erst als Rückzugsort entdeckt hatte. Dort stand auch die große Kiste, die wie eine riesige Schatztruhe aussah, mit den Sachen, die meine Eltern hinterlassen haben. Ziemlich viel Klimbim, alte Fotos, Modeschmuck, Batik-Tücher und eine stattliche Anzahl an Schallplatten. Ich suchte mir die bunteste aus. Es war *Sgt. Pepper's Lonely Hearts Club Band* von den Beatles. Ich legte sie auf den roten Plattenspieler mit dem eingebauten Lautsprecher, auf dem sonst meine Märchenplatten liefen. Es war das erste Mal, dass ich ganz bewusst Musik hörte, dass sie nicht nebenher lief, im Hintergrund, das erste Mal, dass ich mich einfach nur hinsetzte und nichts weiter tat, als zuzuhören. Als *Lucy In The Sky With Diamonds* kam, wusste ich, dass Musik total krank ist. Ich saß wie hypnotisiert da und stierte auf den Plattenspieler. Ich konnte nicht verstehen, was Musik mit mir machen konnte, es war total verwirrend. Ich probierte andere Platten aus. Meine Stimmung änderte sich mit jedem neuen Lied. Als ich Joan Baez mit *Farewell, Angelina* auflegte, fing ich spontan an zu weinen, einfach so, ohne genau zu wissen, warum, und als Janis Joplin anfing zu brüllen, wollte ich unbedingt einen Mercedes Benz haben, so sehr, dass ich dachte, ich sterbe, wenn ich keinen Mercedes Benz bekomme, dabei wusste ich noch nicht einmal, was das genau war, ein Mercedes Benz. Ich war fasziniert von den Emotionen, die Musik auslösen konnte. Ich habe innerhalb eines Monats die komplette Plattensammlung meiner Eltern durchgehört, all die Hippie-Musik, von den Doors über Grateful Dead bis hin zu Simon and Garfunkel. Und ich fand alles großartig.

Bis die Pubertät kam.

Und ich die Revolution entdeckte.

Sie sah toll aus. Damals. In *Who Killed Bambi?*, dem kleinen Plattenladen in der Argyll Street, gegenüber von Dougans Eisdiele, in der ich das erste Mal mit einem Mädchen knutschte, mit Maisie, um genauer zu sein, aber dann kam die Revolution dazwischen und ich musste mich entscheiden. Es war nicht wirklich schwer. Denn als ich das erste Mal vor dem Plattenladen stand, so ganz bewusst, und all die bunten Cover mit den furchterregenden Monstern sah, und sah, dass Männer wirre Frisuren trugen, dass Tätowierungen auch cool sein konnten, dass man sehr lässig und nicht nur dümmlich gegen eine Wand lehnen konnte, wenn man nur Bluejeans, weißes T-Shirt und schwarze Lederjacke trug und rein zufällig Joey Ramone hieß, da wusste ich, dass es eine Welt jenseits von Blümchensex gab, eine Welt jenseits des guten Geschmacks, die mir aufregend, neu und gefährlich erschien.

Barny »Barnuckle« Beaufort war der Inhaber des Ladens, ein Mittvierziger mit grauen, wuseligen und in alle Himmelsrichtungen abstehenden Haaren. Er hatte eine gewisse Ähnlichkeit mit Dr. Emmett Brown aus *Zurück in die Zukunft*, nur dass sein rosiges Gesicht immer noch unglaublich jung aussah und er T-Shirts trug, auf denen Slayer, Melvins oder Beethoven stand. Außerdem war er um einiges dicker. Er liebte Scones. Und Burger. Und Cola in Anderthalbliterflaschen. Und wenn es irgendetwas gab, das er hasste, dann war es an allererster Stelle: Leibesertüchtigung. Sport, sagte er, sei eine Erfindung von außerirdischen Kakerlaken, die uns als Haustiere halten, in einem Hamsterrad, das wir Erdkugel nennen. Damals gab es noch keine Matrix, deshalb wohl die Kakerlaken. Der Laden war klein und düster und bis in den letzten Winkel mit Platten vollgestellt. In einer Ecke neben der Toilette gab es auch ein Regal mit CDs. Barny war kein Purist und wenn Bands meinten, sie müssten ihre Musik ausschließlich auf CD herausbringen, so respektierte er diesen Spleen. Widerwillig. Es war die Zeit, in der es noch Sinn machte, Musik auch physisch zu besitzen. Musik, die nicht nur klingt, sondern auch riecht und kratzt und knistert. Durch Barney bin ich erst auf Bands wie Joy Division, Throbbing Gristle, Sonic Youth und die ganzen *The*-Bands wie The Fall, The Stranglers, The Clash, The Specials und so weiter aufmerksam geworden. Er war meine musikalische Sozialisation. Mein Yoda. Jede neue Platte, der ich Monate lang entgegengefiebert hatte, war ein epochales Ereignis. Ich verbarrikadierte mich in meinem Zimmer, verwahrloste und hörte hunderte Male den gleichen Song, immer und immer wieder. Es gab nur mich und die Musik. Und nichts machte mich wütender, als in diesem Liebesakt unterbrochen zu werden, dafür gab es keine Entschuldigungen, weder Todesfälle noch Weltkriege.

Es war allerdings nicht immer ganz einfach, ein Album, für das man sich entschieden hatte, auch käuflich zu erwerben. Denn Barny war zwar ein Plattenverkäufer, aber er verkaufte nicht jedem jede Platte. Und er liebte es zu diskutieren. Er wollte immer genau wissen, warum man sich für eine Platte entschieden hatte, was einem beim Probehören aufgefallen war, wie man den Klang der Telecaster beurteilte, ob man die Texte und geheimen Botschaften dechiffrieren konnte oder aber – Todesstoß – ob man nur als einer unter vielen auf einem Hype mitschwimmen wollte. Zeit hatte er immer genug, es waren selten mehr als zwei oder drei Kunden gleichzeitig im Laden. Jeder kannte Barny und auch Barny kannte so gut wie jeden. Fremde wurden eher misstrauisch beäugt. Befragt wurden sie trotzdem. Es gab keine Ausnahmen. Und nicht jeder bestand die Prüfung. Es konnte passieren, dass er jemanden für zu unreif hielt, für nicht würdig genug befand oder er einfach nur schlechte Laune hatte, und dann nahm er einem die Platte wieder aus der Hand und sagte, man solle sich verpissen. Auch ich hatte nicht immer Glück. Für *Meat is Murder* von The Smiths war ich schlichtweg zu jung, egal, wie alt ich war, und bei *Tight* von Mindless Self Indulgence brauchte ich fast ein ganzes Jahr, bis ich ihn überredet hatte, mir den US-Import zu verkaufen. Ihm gefiel mein Faible für amerikanischen Elektro-Atari-Post-Punk-Irgendwas nicht. Barny hatte noch die

Hochzeiten des Punkrock miterlebt, den richtigen Punkrock, UK-Punk, und für ihn war eigentlich alles, was nach 1985 erschien, Majestätsbeleidigung. Als ich dann noch sagte, dass *Aenima* von Tool das beste Laute-Jungsmusik-Album aller Zeiten ist, wollte er mich enterben, aber ich war glücklicherweise nicht sein Sohn.

Musik war für mich immer ein Gemischtwarenladen. Ich war gerne Teil einer Jugendbewegung, nur nie besonders lange. Die interessanten Subkulturen waren ja auch schon größtenteils durch, und so machte ich die Retro-Nummer im Schnelldurchlauf. Keine fünf Jahre brauchte ich für die Parka-, Samtjackett- und Lederjacken-Phase. Für mich ging es immer ums Entdecken, und in jeder Musikrichtung gab es etwas zu entdecken. Das Neue war das Aufregende, nicht das ewig Gleiche. Und an der Berührung hat sich nie etwas geändert. Als ich das erste Mal Rage Against the Machine hörte, wollte ich rausgehen und Steine werfen, und als ich das erste Mal Kate Bush hörte, wollte ich an Gott glauben. Musik manipulierte mich, sie hat immer meine Welt verändert. Und ich hasste nichts mehr als Künstler, die sagen, dass sie mit ihrer Kunst selbstverständlich nicht die Welt verändern wollen, weil das anmaßend sei. Wenn Künstler nicht mehr anmaßend sind, wenn sie nicht mehr die Welt verändern wollen, warum sind sie dann Künstler, warum verkaufen sie nicht Brötchen? Nie aber wollte ich Parolen, keine politischen Statements, sondern Gedanken, Fragmente, Bilder, die sich einnisten, die meine Sicht veränderten, die mich umstürzten. Ich mag es, wenn Stimmen wie Instrumente funktionieren, wenn sie durch ihren Klang, ihren Rhythmus und ihre Tonfolge wirken und nicht durch ihre Worte. Ich war immer von Stimmen verstört. Meistens ging das sehr schnell. Beim ersten Hören, ohne nachzudenken, ohne groß auf den Text zu hören, einfach nur, weil sie alles andere vergessen lassen. Ich liebe Sierra Casady und Maynard James Keenan und Beth Gibbons und James Blake und Joanna Newsom, nicht als Menschen, als Stimmen. Die Menschen kenne ich gar nicht, ich will sie nicht einmal kennenlernen, geschweige denn, dass diese Ausnahmen einen schottischen Auftragskiller kennenlernen möchten.

Frankie sagt immer, ich höre zu viel Deprimusik. Er versteht den Unterschied zwischen melancholisch und depressiv nicht. Er ist entweder gut oder scheiße drauf, sagt er, etwas anderes gibt es für ihn nicht. Musik war oft genug Auslöser für ernsthafte Auseinandersetzungen. Als ich in meiner kurzen Klassik-Phase war – ich glaubte, schwarze Rollkragenpullover seien Avantgarde – und das wohltemperierte Klavier und die polyphonen Bläser in Konzertsaal-Lautstärke zu dirigieren pflegte, überlegte Frankie ernsthaft, ein Cembalo zu kaufen, um mich damit zu erschlagen. Bei meiner Free-Jazz-Phase hat er mir einen Zahn ausgeschlagen, unten links, aus Versehen, wie er sagte. Und das war vermutlich das einzige Manko in dieser Familie, dass es niemanden gab, mit dem ich ernsthaft über Musik reden konnte.

Wie auch.

Tante Livi hörte nur BBC-Schnulzen, rund um die Uhr. Onkel Seamus zeigte kaum mehr Stil. Gleichwohl er immer neugierig zuhörte, wenn ich mit einer Neuentdeckung nach Hause kam, ganz gleich was, nicht einmal japanischer Punkrock schreckte ihn ab. Als ich ihm einmal *Tainted Love* von Soft Cell vorspielte und sagte, es sei ein uralter Klassiker, da grinste Onkel Seamus wie ein kleiner Junge und sagte, es sei eine Kopie eines noch viel älteren Klassikers. Und dann erzählte er von seiner wilden Zeit, in den Siebzigern, als er großer Northern-Soul-Fan war und an den Wochenenden mit seinen Kumpels Jedediah Boyes und Neil »The Mover«

Morrison die Clubs unsicher machte. Es war die Zeit, als rare und kommerziell erfolglose Soulmusik aus Amerika die Insel eroberte. In den ersten Jahren sind sie am Wochenende immer ins Torch nach Tunstall gefahren, erzählte Onkel Seamus, später dann, als man den Club schließen musste, ins berüchtigte Wigan Casino. Allnighter bis acht Uhr morgens. Legendär. Mmh. Und dann ging Onkel Seamus in den Keller und kam mit einem staubigen Karton wieder rauf, holte Singles heraus und legte sie auf seinen 99-Pfund-Plattenspieler von Sony, der sonst nur an Weihnachten für Sinatra in Betrieb war. Hier, sagte er, hör mal, Carol Fredrick mit *I Couldn't Care Less* und das hier, *Long After Tonight Is Over* von Jimmy Radcliffe, ein Klassiker, und hier die Bläser bei Gene Toones *What More Do You Want*, ganz groß, nicht wahr? Eigentlich nicht, aber die Musik war lässig, extrem tanzbar, roh und irgendwie ansteckend. Zudem, und das irritierte mich sehr, bekam Onkel Seamus ungewöhnlich leuchtende Augen und rote Wangen, so, als hätte er ein Date und wäre total aufgeregt. Als er dann noch mit dem Fuß im Takt tippte, dachte ich, er würde gleich anfangen zu tanzen. Ich weiß noch, dass Tante Livi uns Kindern bei jeder sich bietenden Gelegenheit erzählte, was für ein begnadeter Tänzer Onkel Seamus früher einmal gewesen war. Für uns waren das nur Geschichten alter Menschen, die zu viel Nostalgie getrunken hatten. Flotte Sohle und Parkett und so. Gähn. Onkel Seamus und Tanzen, das passte einfach nicht zueinander. Ich habe ihn auch nie tanzen gesehen. Es gab hunderte von Familienfesten, aber nie hat er getanzt, nicht ein einziges Mal, nie.

Bis vor zwei Jahren.

Es war die Hochzeit von Cailin, einer Cousine zweiten Grades, unten in Paisley. Ein Riesenfest. Und alle tanzten. Ich habe immer schon sehr gerne Menschen beim Tanzen zugeschaut, man sieht so viel, das Selbstsichere, Verlegene, Extrovertierte, Schüchterne, Rebellische, Verletzliche, Aggressive und manchmal auch das Allergeheimste. Onkel Seamus konnte ich mir beim besten Willen nicht auf einer Tanzfläche vorstellen. Als der DJ, ein dicker, pickliger Redskin, *If This Is Love* von The Precisions auflegte, stand Onkel Seamus plötzlich auf, ging in aller Seelenruhe zur Tanzfläche und legte los.

Ich habe nie zuvor und nie wieder danach jemanden so sexy die Hüften bewegen sehen, sehr langsam, sehr smooth, große alte Schule. Seine Beinarbeit war unfassbar lässig, und er hatte ein paar Moves auf Lager, die alle anderen Tänzer auf dem Parkett zu schwerbehinderten Nilpferden machten. Einmal ließ er sich sogar nach hinten fallen, stützte sich mit seinen Händen am Boden ab und schwang wieder nach oben. Schwerelos. Magisch. Und die ganze Zeit über trug er dabei einen leicht melancholischen Blick zur Schau, der in weite Ferne schweifte. Selbst die sechzehnjährigen Mädchen verliebten sich von der Stelle weg in Onkel Seamus, der zwar erst sechzig war, aber gut und gerne auch für 65 durchgehen konnte. Nie in meinem Leben war ich stolzer darauf, Teil dieser Familie zu sein, die es immer wieder aufs Neue schafft, einen sprachlos mit offenem Mund dastehen zu lassen, wie einen Vollidioten, der all seine Gehirnzellen bei einer Pferdewette verloren hat.

**9** Burning Tree sieht anders aus als vorgestellt. Es gibt vielleicht zwanzig Häuser auf jeder Straßenseite, einen Diner und einen Autohändler am Ortsausgang. Einen Baum gibt es nicht. Auch keinen brennenden. Keine Menschenseele ist zu sehen. Ausgestorben. Es gibt nur diese eine Straße. Mit Ein- oder Ausfahrten zu den hölzernen Bungalows. An den Garagen hängen Basketballkörbe. Aber niemand wirft Bälle hinein. Kleine, metallische Windräder drehen surrend westwärts, sie stehen neben sorgsam geschnittenen Buchsbäumen, in grünen Vorgärten, dem einzigen Grün weit und breit. Alles ist alt, aber nicht ungepflegt, es sieht aus, als hätte der Ort mal mehr Einwohner gehabt, als läge die Blütezeit schon einige Jahrzehnte zurück.

Ich parke den Mustang am Straßenrand und steige aus. Ein Dornenbusch rollt über die Straße. Der Wind wirbelt Sand auf, ich muss husten. Der Diner ist geöffnet. Sein Name ist *Peggy Sue*. Er hat eine riesige Fensterfront, durch die man hineinschauen und das ganze Geschehen verfolgen kann. Die Einrichtung ist klassisch, praktisch, günstig. Rechteckige, hellbraun furnierte Tische, rote, mit Kunstleder bezogene Bänke, Nummernschilder an den Wänden und Leuchtreklame hinter der Theke. Ein bezauberndes All-American-Girl – blonder Zopf, enge Jeans, enges Top und das Lächeln aus der Zahnpastawerbung – bringt einen Teller mit Sandwiches zu einem älteren Gast. Der Mann, in Jeansjacke und Cowboystiefeln, schaut nur kurz von seiner Zeitung auf und nickt zustimmend. Es gibt noch einen zweiten Gast, der auf einer der Bänke am anderen Ende des Diners sitzt und der als Kind wohl mit Anabolika gefüttert wurde. Vielleicht der Freund der Kellnerin, so, wie er sie anschaut, und so, wie sie ihn flüchtig anlächelt.

Ich könnte ein ordentliches Frühstück vertragen, entscheide mich aber erst mal für den Autohändler.

Auf der gegenüberliegenden Straßenseite. Ich hoffe, er ist einer von denen, die ein gutes Geschäft zu schätzen wissen, auch dann, wenn es nicht ganz koscher ist. Der Mustang wurde mit falscher Kreditkarte bezahlt. Und der Pass ist selbstverständlich auch nicht echt. Nur der Vorname ist oft der Gleiche. Ich werde dem Händler einfach den Mustang im Tausch gegen eines seiner Autos anbieten.

Von außen macht der Laden einen etwas merkwürdigen Eindruck. Es sind gar keine Autos zu sehen. Wahrscheinlich sind sie hinter der großen Mauer in einem Innenhof geparkt. Dafür gibt es viel Werbung. Hunderte blau-rot-weiße und schwarz-rot-goldene Fähnchen, die im Wind nervös hin und her flattern. Am Eingangstor sind Lautsprecher befestigt. Aus ihnen erklingt ... Musik. John Denver mit *Country Roads*. Werbebanner kleben auf der weißen Backsteinmauer, auf denen Sprüche stehen wie: *You can't get no satisfaction? Of course you can! With Zuwinden Cars!* Oder auch: *Autobahn! Great! Sale!* Es gibt auch Plakate mit Herman Zuwinden höchstselbst, dem Präsidenten und CEO von Herman Zuwinden – Fabolous German Cars. Wer auch immer die Fotos gemacht hat, es war kein Professioneller. Herman Zuwinden sieht aus, als habe er Blausucht. Und er lacht wie eine Herde Honigkuchenpferde. Beängstigend. Die Sprechblase in Höhe des rechten Auges macht es nicht besser. Sie beinhaltet offensichtlich Herman Zuwindens Lebensmotto: *Live slow, die old.*

Ich könnte bis zum nächsten Autoverkäufer fahren. Ich weiß nur nicht, ob es der Mustang bis dahin schaffen wird.

Was soll's.

Die Tür bimmelt auf.

Die Siebziger kenne ich nur von Fotos und aus Filmen.

Nun kenne ich sie auch live.

Ich hatte sie mir trotzdem anders vorgestellt. Weniger aufdringlich. Braun und Orange sind die dominierenden Farben, die Tapete wie ein stummer Schrei, hypnotisches Muster, Verwirrung obendrein. Viel Plastik, die Stühle, die große Wanduhr, die Regale, alles Kunst. An einem braunen Schreibtisch sitzt ein Mann. Völlig regungslos. Ich kenne ihn von den Plakaten. Es ist Herman Zuwinden. Er trägt einen beigen Anzug, gelbes Hemd, gelbe Krawatte und einen cremefarbenen Stetson. Aus dicken Brillengläsern stiert er mich ungläubig an.

Ich sage: »Hallo.«

Ich bin nicht sicher.

Ob er lebt. Er könnte auch eine Wachsfigur sein, er bewegt keinen einzigen Muskel. Er blinzelt nicht einmal. Dann knipst irgendjemand ein Licht an.

»Ah, Kundschaft!«

Es klingt so, als wäre ich die erste seit mehr als 400 Jahren.

»Herman Zuwinden«, sagt er, steht auf und schreitet eilig auf mich zu, als habe er Sorge, ich könne wieder weglaufen, »Herman Zuwinden, Präsident und CEO von Herman Zuwinden, Fabolous German Cars. Mit wem habe ich das außerordentliche Vergnügen?«

»Billy …«

»Billy, wie schön, nennen Sie mich einfach nur Herman, und bitte sprechen Sie meinen Vornamen englisch aus und nicht deutsch, gleichwohl ich nicht annehme, Sie könnten deutsch, nur für den Fall, dass Sie es zufällig doch beherrschen, bitte nicht, bitte englisch. Dann dürfen Sie auch Herman the German zu mir sagen, wenn Sie möchten, wie meine Freunde, meine besten. Sie kommen aus?«

»Schottland.«

»Schottland! Donnerprotz! Ein echter Highlander! Gibt's doch gar nicht!«

Ich weiß, was jetzt kommen wird.

Ich kenne diesen Blick.

Er schlägt meinen Kopf ab.

Mit einem Luftschwert.

Es ist immer das Gleiche.

»Es kann nur einen geben! Ha, kleinen Scherz gemacht, Humor ist wichtig, wird bei mir ganz, ganz groß geschrieben. Genauso wie: Der Kunde ist König. Billy, Sie sehen aus wie ein Gewinner, das sehe ich sofort. Sie sind doch ein Gewinner? Oder? Billy?«

»Also …«

»Ja, natürlich sind Sie das. Deshalb kommen Sie ja auch ausgerechnet heute vorbei«, und dann legt er seinen rechten Arm um meine Schulter und führt mich ums Eck, wo eine Art Tombola aufgebaut ist, mit einem Glücksrad in der Mitte. »Yabba Dabba Doo! Überraschung! Wenn das mal nicht Schicksal ist, dass Sie genau an dem Tag durch diese Tür schreiten, wenn die große Herman-Zuwinden-and-friends-Jahresgala ist. Zugunsten Kindern mit toten Eltern. Falls Sie darüber etwas Genaueres wissen möchten, müsste ich Martha anrufen, sie ist die Schirmherrin von dem Verein mit den toten Eltern. Falls nicht, könnten wir jetzt mit der Action beginnen. Dreimal dürfen Sie drehen, und nicht vergessen, vorher in die Hände spucken.«

»Ich möchte nicht unhöf…«

»Der Hauptpreis ist ein Auto aus dem Fuhrpark von Herman Zuwinden, Fabolous German Cars.«

»Das ist toll, wirklich, ich fürchte nur, dass meine Fähigkeiten am Glücksrad nicht für einen Hauptpreis reichen und dass es unmöglich …«

»Nichts ist unmöglich, junger Mann, nichts. Ich weiß nicht, ob Sie draußen meine Hecke bemerkt haben, die Green Rocket.«

»Ehrlich gesagt …«

»Der botanische Name lautet Euonymus japonicus. Gehört zur Familie der Spindelbaumgewächse, ein mehrtriebiger, dichter, immergrüner Strauch aus Japan. Aufrechte Wuchsform, eignet sich hervorragend für mittelhohe Hecken wie die meine. Nur eben nicht unbedingt in diesen Breitengraden, in dieser wüstigen Einöde. Herman Zuwinden wäre aber nicht Herman Zuwinden, würde er sich von der Sonne beeindrucken lassen. Was also habe ich gemacht? Dreimal dürfen Sie raten. Ich habe gepflanzt! Und das Ergebnis kann sich sehen lassen, wie ich finde, oder etwa nicht? Seither nennt man mich auch Herman the German. Was ich Ihnen durch die Blume beziehungsweise durch die Green Rocket sagen und mit auf den Weg geben will, junger Mann, ist: Seien Sie nicht so pessimistisch, Billy, glauben Sie an sich, Arsch rein, Brust raus, fokussieren Sie sich nur auf das Rad, drehen Sie, Herrgott noch mal, drehen Sie!«

Herman the German schaut mich mit starrem Blick an, als sei er mein Motivationstrainer und ich sein Schüler, der gerade die Lektion seines Lebens lernt.

Das ist ein klitzekleinwenig krank.

Und gleichwohl ich lieber ein Spielverderber wäre, tue ich ihm den Gefallen und drehe das Rad.

Kräftiger als gewollt.

Und es dreht und dreht und schnurrt und schnurrt, bis der Stopper das Rad nicht mehr weiterlässt.

»Ah, die 19! Das ist ein Gewinn! Sie haben gewonnen! Fantastisch! Mal schauen, was wir da haben«, sagt Herman Zuwinden und geht zum Tombolatisch. »Hier, hier ist es, hier ist der Käse. Die 19.«

Herman Zuwinden schaut sich den Käse etwas genauer an.

Es läuft *Rock Around The Clock* von Bill Haley.

Das macht es keineswegs besser.

»Das Besondere an diesem Käse ist«, sagt Herman Zuwinden, als er fertig mit Betrachten ist, »er ist eine Kuh. Der Käse. Also in Form einer Kuh, wie Sie hier sehen können, und das in einer handlichen Größe, Klasse, tolle Idee, die Symbiose von Käse und Kuh also, und hier vorne drauf, sehen Sie, hier, sehr raffiniert, da ist die Kuh noch mal nachgezeichnet, es sind also nicht nur die Umrisse der Kuh, nein, die Kuh ist auch nachgemalt, auf dem Käse, sehr gelungen, wie ich finde. Wisconsin, der Käse kommt aus Wisconsin, Käsehochburg, können Sie nicht wissen, ist aber so. Also: herzlichen Glückwunsch. Und jetzt der Trommelwirbel für den zweiten Dreh. Ich sage nur: Let it roll, Buddy!«

Er zwinkert mir zu.

Und schnalzt mit der Zunge.

Und ich weiß nicht, ob ich noch einmal drehen möchte.

Falsch, ich bin mir sicher.

Ich möchte nicht.

Wenn nur dieser Blick nicht wäre.

Der Blick eines Welpen. Mit Down-Syndrom.

Was soll ich machen.

Ich drehe.

Und warte.

»Sapperlot, die 14! Nach der 19 die 14, wusste ich's doch, Sie sind ein wahrer Glückspilz! Das gab's noch nie. Meine Wenigkeit jedenfalls hat so etwas nie, nicht und nimmer erlebt. Die 14, nicht zu fassen. Sie sehen mich fix und foxi. Wollen wir mal sehen. Hier, hier ist die 14, der Gewinn, ah … ein Schal. Ein Schal! In Blau-Weiß-Rot! Abwechselnd in Blau, in Weiß und in Rot! Sehr schick. Und auch vom Gefühl her, doch, ja, das darf ich sagen, fühlt sich toll an, reine Wolle, hundert Prozent. Und da Sie die 14 nach der 19 gedreht haben, gibt es noch einen Bonus-Gewinn! Den hat meine Wenigkeit zu den Preisen beigesteuert. Achtung: Zwei Singles! Ich weiß, kennen Sie wahrscheinlich gar nicht mehr, Singles, das sind kleine Schallplatten. Drehen sich im Kreis. Hat mir mein Neffe aus

Deutschland geschickt, der Mathias, der hat Ahnung von Musik, der ist Discjockey. Und Schallplatten sollen mittlerweile ja wieder sehr viel wert sein. Wollen doch mal schauen, was für Titel wir hier haben, ah, *Kalimba de Luna*, von, ah, hier steht's, Tony Esposito, sehr schön, und hier, was steht hier, *Vamos a la Playa*, ah, *Vamos a la Playa*, toller Song, sehr groovig und fetzig und cool wie ein Hammer, kennen Sie, oder? Glückwunsch. So, und jetzt nicht nervös werden, jetzt wartet das Finale, der letzte Dreh, die letzte Chance, it's up to you my friend!«

Manchmal laufen Dinge einfach aus dem Ruder.

Ohne dass man etwas dafür kann.

Unheimlich.

Und dann gibt man sich bedingungslos hin.

Was will man auch sonst machen.

Ich drehe.

Und warte.

»Das ist jetzt aber nicht wahr! Das glaube ich nicht. Kneifen Sie mich mal, ganz, ganz fest. Die 23! Sie haben tatsächlich die 23 gedreht. Sie sehen mich schockiert. Völlig fassungslos. Wissen Sie, was das bedeutet? Da brauche ich gar nicht erst nachschauen. Die 23 ist ein Volltreffer. Bingo. Schiff versenkt. Charlie, Bravo, Zero. Rock and Roll. Und jetzt sage ich Ihnen auch, warum ich so aus dem Häuschen bin. Bitte festhalten, die 23 bedeutet: 10 Prozent beim Kauf eines Autos bei Herman Zuwinden, Fabolous German Cars! Bei Barzahlung, versteht sich. Was sagen Sie jetzt?«

»Großartig«, sage ich und schnaufe durch, »denn wie es der Zufall so will, suche ich ja tatsächlich ein neues Auto, da mein Mustang …«

»Schöner Wagen.«

»… danke … leider ein Ölleck hat.«

»Bei mir kaufen Sie kein Auto, Sie kaufen eine Legende.«

»Ein Auto würde mir reichen.«

»Jetzt noch, Billy, jetzt noch, aber warten Sie erst ab, bis Sie eines meiner Schätzchen fahren, danach sind Sie für jedes andere Auto verdorben. Garantie darauf. Und jetzt lassen Sie uns sehen, was ich für Sie tun kann.«

Herman Zuwinden legt wieder seinen rechten Arm um meine Schulter, was mir durchaus unangenehm ist. Er führt mich einen schmalen Flur entlang, Richtung Hinterhof, wo all die Fabolous German Cars auf glückliche Käufer warten. Kurz vor der Tür bleibt er stehen, dreht sich leicht nach links und mustert die gegenüberliegende Wand. Ich tue es ihm gleich.

Ich sehe Fotos. Fotos in hässlichen, goldenen Rahmen. Es scheint die Ahnengalerie der Zuwindens zu sein.

»Mein Vater«, sagt Herman Zuwinden und zeigt auf ein vergilbtes Schwarz-Weiß-Foto, auf dem ein zirka dreißigjähriger, kräftiger Mann mit Nickelbrille, Bluejeans und Baumfällerhemd in die Kamera stiert, »mein Vater, Wilhelm Zuwinden. Der Herr hab ihn selig.«

Herman Zuwinden legt eine kleine Atempause ein, streichelt sein Kinn und nickt versonnen in die Vergangenheit.

»War das Jahr 1954, als das Foto aufgenommen wurde, mein vierter Geburtstag, das Jahr, in dem die Familie von Wald-Michelbach nach Las Vegas gezogen ist. Mein Vater hatte gehört, dass man dort Millionär wird, wenn man Teller wäscht. Wurde aber nicht Tellerwäscher, wurde Kassierer, der Vater, im Golden Nugget. War ein anständiger Job, ein Auskommen, so gut es eben ging. Aber das richtige Geld machte er mit einer anderen Idee. Es war die Blütezeit der Atomwaffentests, müssen Sie wissen. Fanden keine achtzig Meilen vom Epizentrum des Vergnügens statt. Verrückte Zeit damals. Die Pilzwolken konnte man von Downtown aus sehen. Waren der absolute Renner bei den Touristen. Und mein Vater sagte sich, warum nicht ein Geschäft daraus machen. Er hatte in einer Bar Colonel Bisping kennengelernt, den Sesam-öffne-dich der Zufahrtswege. Halbe-halbe haben sie gemacht. Mein Vater kutschierte zahlungskräftige Touristen so nah wie möglich ans Geschehen heran und tat alles für ihr Wohlbefinden. Er baute Sonnenschutz und Gartenstühle auf, legte Decken und Kissen aus und ließ Jimmy Credit im Hintergrund über tragische Liebschaften singen. Meine Mutter servierte dazu selbstkreierte Cocktails, die *Atomic Sunburst*, *Nuclear Baby* oder *Area 666* hießen. Die Touristen waren begeistert. Einmal durfte ich mit. Erinnere mich, als wäre es gestern gewesen. Wie wir mit vier Autos im Konvoi ...«

»Herman ...«

»... die Straße Richtung Area 4 hochfuhren. Die Armee hatte Schilder aufgestellt, für die Neugierigen, die Geschwätzigen, die Unbefugten, mit Sprüchen wie: *If you wouldn't tell Stalin, don't tell anyone.* Die standen einfach so in der Wüste. Die Schilder. Habe alle gelesen. Und behalten. Mein Favorit war: *Talk means trouble. Don't talk.* Ich glaube, sie wollten nicht, dass man den Pilz an die große Glocke hängt. Ich weiß bis heute nicht genau, warum. Etwas Göttlicheres habe ich in meinem ganzen Leben noch nicht gesehen. Sie hatten noch nicht das Vergnügen, oder? Nein, wohl nicht. Vergisst man nicht mehr, kann man nicht vergessen, unmöglich. Weiß noch genau, wie wir auf den Decken saßen und warteten. Wie die Erwachsenen ihre Cocktails tranken, plauderten und lachten, wie meine Mutter mir Milch und kaltes Maisbrot gab, wie ich vor Aufregung kaum atmen konnte. Und dann kam dieser Blitz, und alles war weiß und rein und unschuldig, bis dieser Urknall den Boden erzittern ließ, gefolgt von einem titanischen Grollen. Ich sah und spürte, wie die erste Druckwelle den Sand über mein Maisbrot wuschte und der Wind meine Haare zerzuselte. Alle hatten diese staunenden Blicke und offenen Münder, und wir schauten, wie der Pilz wuchs und wuchs und gar nicht mehr aufhören wollte zu wachsen, als wäre ihm der Himmel nicht genug, als müsste er darüber hinaus. Nie habe ich eine größere Macht gesehen, nie war mir Gott näher, Billy, und das sage ich Ihnen als tief religiöser Mensch, nie habe ich mich kleiner und so voller Ehrfurcht gefühlt. Ob das gesund war? Nun, Vater sagte immer, dass der Wüstensand die Strahlung absorbiere. Das hatte ihm Herb erzählt, ein Wissenschaftler, der an Josies Tankstelle arbeitete. Dass meine Eltern beide an Krebs gestorben sind, halte ich für einen Zufall. So etwas gibt es. Statistisch gesehen. Zufälle. Nicht wahr. Gibt es doch. Ach herrje, jetzt aber nicht traurig werden, Herman Zuwinden, jetzt keine feuchten Augen bekommen, du sentimentaler Trottel, du, jedenfalls ... wo war ich ... ach ja, tolle Zeit damals. Hätten reich werden können. Sehr reich. Aber 1962 war Schluss. Celawie, wie der Franzose sagt. Zum Abschied noch Little Feller. Der letzte oberirdische Test. Und dann das Nichts. Von einem auf den anderen Tag war das Geschäft gestorben. Vater hatte mittlerweile die Nase voll von Vegas, den Touristen, dem Lärm und der Mafia. Also zog die Familie nach Burning Tree und Vater machte einen Autohandel auf. In den ersten Jahren lief es auch ...«

»Herman ...«

»... gar nicht schlecht. Bis Bob Henry Jenkins, der damalige Gottvater der Gebrauchtwagen in Virgin Mountain eine Filiale seiner *Cheapest Cars in Town* aufmachte. Bob Henry Jenkins hat Rabatte gewährt, da konnte kein Konkurrent länger als zwei Jahre mithalten. Aber Vater war ein sturer Hund. Zwanzig Jahre hielt er stand, gegen diesen Wahnsinnigen, diesen Sohn einer, na ja, Sie wissen schon. Als ich den Laden übernahm, war er nur einen Millimeter vom Abgrund entfernt. Ich musste mich spezialisieren. Ich brauchte ein Alleinstellungsmerkmal, wie es so schön heißt. Also habe ich mich auf meine Wurzeln besonnen. Und die heißen: Made in Germany! Die grandiose Idee ist mir gekommen, als ich Dudu sah, in *Ein Käfer geht aufs Ganze*. Deutsche Filmkunst, können Sie nicht kennen, es sei denn, Sie sind Cineast. Grandios, der Film, grandios. Ich danke dem Herrn heute noch für diesen Geistesblitz. Wer weiß, was sonst aus mir geworden wäre. Mittlerweile reisen Interessenten aus dem ganzen Land an, letztes Jahr war jemand aus New York da, hätte beinahe einen gekauft, war sehr interessiert, aber kurze Rede, langer Sinn«, er macht die Tür auf und zeigt in weit ausholender Bewegung auf den Innenhof, »ehweula, wie der Franzose sagt, schauen Sie, schauen Sie und staunen Sie, hier sind Herman Zuwindens Fabolous German Cars. Was sagen Sie?«

Ich bin sprachlos.

Einige der Autos sehen aus, als seien sie tot. Seit Jahrzehnten schon. Ich zähle elf Volkswagen Käfer und einen fliederfarbenen Cadillac aus den Fünfzigern mit einem Mercedes-Stern auf der Kühlerhaube.

»Ah …«

»Nicht wahr? Auch mir verschlägt es immer wieder die Sprache, wenn ich diesen Young- und Oldtimern von Angesicht zu Angesicht gegenüberstehe.«

Ich habe Schrottplätze gesehen, die vielversprechender aussahen. »Und die sind fahrtüchtig?«

»Alle. Welcher gefällt Ihnen?«

»Nun ja …«

»Schauen Sie sich den hier vorne an, den blauen, ein echter

68er, scheckbuchgepflegt, hat keine 240 000 runter. Vierzylinder-Boxermotor luftgekühlt, mit Fallstromvergaser, von null auf sechzig in 32 Sekunden, ordentliche 34 PS unter der Haube. Und da Sie ja doch fragen werden: Höchstgeschwindigkeit liegt bei 72 Meilen pro Stunde. Können Sie hier gar nicht ausfahren. Und? Noch Wünsche offen? Oder wollen wir das Geschäft eintüten? Billy, mein Freund, was sagen Sie?«

Es gibt gar keine Preisschilder, nur Schilder, auf denen *Sale* steht. Davon allerdings gibt es sehr viele.

»Ich sehe keine Preise.«

»Oh, einen Moment bitte, nur einen Moment, hören Sie, hören Sie nur«, sagt Herman Zuwinden und zeigt dabei auf seine Boxen, Outdoor, an der Balustrade, »das ist mein Lieblingslied, fehlt auf keiner meiner Mixkassetten, das Lied der Lieder, *Am Tag, als Conny Kramer starb*, aus meiner Heimat, hören Sie nur, diese Tiefe, dieser Schmerz, als Conny auf Reisen geht, in einem Meer von Licht und Farben, und er uns nicht mehr hören kann, lassen Sie uns dieses Gefühl fühlen, gemeinsam, nur für einen Moment, bitte.«

Ich schaue auf die Boxen. Ich höre zu, aber ich verstehe kein Wort, es ist auf Deutsch. Die Melodie erinnert mich an *The Night They Drove Old Dixie Down*. Es klingt sehr traurig, und als ich mich wieder umdrehe, sehe ich, dass Herman glasige Augen hat. »Schön, nicht«, sagt er und wirkt dabei fast ein wenig verlegen.

»Herman …«

»Ah, verstehe, Sie möchten nicht groß drum herumreden, Sie wollen Nägel mit Köpfen machen, ja, Sie sind ein Mann der Tat und Sie sind verliebt, ich wusste es, aber machen Sie sich keine Gedanken, das geht jedem so, absolut jedem. Was halten Sie von sagen wir … hmhmhm … abzüglich zehn Prozent … hmhmhm … 15 000?«

Freak.

Ich versuche, witzig zu sein: »Dollar?«

»Dollar, Euro, Pfund, da ist Herman Zuwinden, Präsident und CEO von Herman Zuwinden, Fabolous German Cars, flexibel.«

»Herman, Sie sind wirklich ein netter Kerl, und so gerne ich noch den ganzen Tag mit Ihnen verbringen würde, es fehlt mir einfach die Zeit dafür, also lassen Sie uns bitte wie erwachsene Menschen feilschen. Mit Respekt füreinander. Mein Angebot, und es ist das einzige, das ich Ihnen machen kann, so leid es mir tut: Ich überlasse Ihnen den Mustang und Sie mir eines Ihrer ... Autos.«

Ich kann sehen, wie es in ihm rattert. Er ist Verkäufer. Er denkt an Profit. Das ist sein Leben. Er weiß natürlich, dass der Mustang nicht ganz sauber ist, er bedenkt die notwendigen Umbauarbeiten, er rechnet im Kopf nach, er weiß, dass er immer noch zehn Mal mehr Profit damit machen wird als mit einem seiner Autos.

Ein Lächeln.

»Einverstanden, unter einer Bedingung«, sagt er, »ich suche das Auto aus.«

Ich blicke mich noch mal auf dem Hof um. Ein trauriges Bild, und wäre ich ein Mädchen, würde ich weinen. »Eins, das fährt, mindestens eine Woche noch, und nicht den pinken Cadillac mit dem Mercedes-Stern auf der Kühlerhaube.«

»Sie sind ein richtiger Verhandlungsfuchs. Ich werde bei diesem Geschäft draufzahlen, das weiß ich, das wissen Sie, das weiß die ganze Welt. Ich muss verrückt sein, mich darauf einzulassen, ach, was soll's. Bin ich ein Unmensch? Nein, ich bin Herman Zuwinden, der Weihnachtsmann! DEAL! GIMME FIVE!«

Was soll ich machen?

Ich kann ihn so nicht stehen lassen.

Unmöglich.

Ich klatsche ab.


**10** Im Alter von zehn Jahren begann für jeden von uns der Philosophieunterricht. Sechs Stunden pro Woche. Onkel Seamus machte da keine Ausnahme, nicht in den Ferien, nicht einmal bei Krankheit, es sei denn, einer von uns lag im Sterben, aber dem war nie so. Der Unterricht war immer spielerisch, oft mit vermeintlich einfachen Fragen eingeleitet, wie z. B.: Was ist Mut? Oder: Sind Lügen immer falsch? Oder: Was bedeutet Bewusstsein? Wir lernten so unterschiedliche Begriffe wie Zeit, Vernunft, Erkenntnis, Seele oder Schönheit aus unterschiedlichen Blickwinkeln zu betrachten. Wir lernten, dass Normalität keineswegs etwas Positives bedeuten muss, dass Wahrheit nur ein Spielball der Objektivität und Objektivität nur eine hübsche Idee ist, wie auch Systeme nur Ideen sind, dass sie nichts mit Wahrhaftigkeit zu tun haben, dass ihre Wirklichkeit nur temporär ist. Wir konnten Onkel Seamus alles fragen und er schien immer gleich mehrere Antworten zu haben und es klang immer toll, wenn er von Utilitarismus, Logos oder Ethik sprach.

Eine Zeit lang dachte ich, Onkel Seamus hätte sich so unglaublich viel an philosophischer Bildung angeeignet, weil er etwas kompensieren wollte, seine einfache Herkunft, seinen fehlenden Schulabschluss oder sonst einen mir unbekannten Komplex. Aber nichts davon stimmte. Je mehr ich ihm im Lauf der Jahre zuhörte, desto mehr wurde mir klar, dass er sie wirklich liebte, die Philosophie, dass sie ihm etwas gab, das er Freiheit nannte, etwas, dass er uns Kindern vermitteln wollte. Er hoffte wohl immer, dass wir sie ähnlich lieben würden, die Philosophie. Für Frankie war sie allerdings nur ein weiteres Unterrichtsfach, eines, das das Leben zudem unnötig verkomplizierte. Polly war temporär interessiert, verlor aber im Lauf der Jahre immer mehr an Interesse. Ich habe später sogar Philosophie studiert, obwohl es an der Universität für mich nichts mehr zu lernen gab. Aber ich war wahrscheinlich der Einzige unter uns Kindern, für den die Philosophie mehr war als eine Pflichtübung, auch wenn ich nie so bedingungslos, so hingebungsvoll verliebt war wie Onkel Seamus.

Ich merkte früh, dass sie mich weiterbrachte auf meinem Weg, dass all die Diskussionen und Streitgespräche mich bereicherten und stärker machten. Auch und nicht zuletzt weil ich meine Emotionen und Gefühle zu beschreiben und zu unterscheiden lernte. Wie zum Beispiel Neid. In der Schule brachte man uns bei, dass es etwas Negatives sei. Onkel Seamus aber sagte, Neid sei etwas Positives, denn Neid bedeute ja nur, dass man die Gaben oder Errungenschaften anderer auch gerne hätte. Erst wenn aus Neid Missgunst werde, sei es negativ, und die höchste Stufe der Missgunst sei das aktive Schlechtmachen dessen, worauf man neidisch ist. Vor solchen Menschen sollte ich mich fernhalten. Er hat uns auch gelehrt, vor den guten Menschen auf der Hut zu sein, insbesondere vor solchen, die von sich behaupten, sie seien der ehrlichste Mensch der Welt, denn das seien immer die Intriganten, die, die als Erstes umkippen, die Opportunisten, die Falschen. Je mehr jemand sein Gutsein in die Öffentlichkeit schubse, desto misstrauischer sollten wir sein. Ein guter Mensch, sagte er, geht in die Krisenorte dieser Welt, um den Armen, Geschundenen und Verwundeten das Leben zu erleichtern, ein Gutmensch regt sich bei einem vollmundigen Glas Rotwein darüber auf, wenn jemand das Wort *Neger* benutzt. Rechtschaffenheit, sagte er immer, stinkt.

Solche simplen Dinge mögen für einen Erwachsenen selbstverständlich klingen, aber für mich war es damals neu, gegen-, quer- und umzudenken. Und außerdem machten sie Spaß, diese Gedankenspiele, auch weil sie mich forderten. Onkel Seamus sagte mal zu mir, und es war ein Abend, an dem er sehr betrunken war, dass er Frankie liebe, er sei sein eigen Fleisch und Blut, aber ich sei der Sohn, den er sich immer gewünscht habe. Mir war das unangenehm, auch, weil es mich berührte. Wohl deshalb forderte er mich auch mehr als die anderen. Ich glaube, Onkel Seamus wollte aus mir immer einen zweiten John Stuart Mill machen, einen Hochbegabten, der schon als Kind die alten Griechen im Original liest. Daraus wurde allerdings nichts. Ich tat mich immer schwer mit fremden Sprachen, mit Französisch, mit Altgriechisch und Latein. Ich hasste Auswendiglernen, und die simple Wiedergabe von Wissen war mir zuwider, ich sah darin einfach keinen Sinn. Ich war auch nie ein Wunder der Konzentration, lieber träumte ich mich in die Antike oder ins Mittelalter hinein und löste die Probleme des Seins mit meiner superheldenhaften Blitzgescheitheit, zur Not aber auch mit einem Knüppel.

Der Schwerpunkt unserer Ausbildung war die westlich geprägte Philosophie, insbesondere die griechische und die deutsche. Onkel Seamus war der Meinung, dass es nicht allzu viel gäbe, auf dass die Deutschen, »diese hörigkeitsgläubigen Mitläufer«, stolz sein könnten. Auf ihre Philosophen könnten sie es. Allerdings nur auf die toten. Die lebenden sind schon tot, sagte er, nur noch Verwalter, Beamte, Kleingärtner. Die toten allerdings waren ihm heilig. Die hat er neben den Griechen bewundert. Er fühlte sich aber nie einer Schule zugehörig, er unterrichte sie alle, zumindest jene, die er für unterrichtenswert hielt. Er hat uns auch nie seinen Lieblingsphilosophen verraten, er sagte immer, er habe keinen, er folge keinem, nur dem Denken, und das sei schon schwer genug, da stolpere er unentwegt, da könne er doch gar niemandem folgen. Ich glaube, dass die Autonomie die größte Idee war, die er uns näherbringen wollte, und auch wenn ich ebenso wie Onkel Seamus niemandem zu folgen gedachte, so hatte ich doch meinen Lieblingsphilosophen, sehr früh schon, von dem Moment an, als ich ihm zum ersten Mal begegnet bin.

In den Sommerferien.

1996.

Ich weiß noch sehr genau, wie ich das erste Mal jenseits von Gut und Böse war, das erste Mal dachte, dass es Menschen gibt, die tiefer hinabsteigen, dorthin, wo der Normalsterbliche nur Dunkelheit sieht, die in Gegenden herumstreifen, die ungeheuer sind, und dann, wenn sie wieder aufsteigen, uns allen, die wir über unser Leben hinwegtrotten und gerne Müsli zum Frühstück essen, den Boden unter den Füßen wegziehen.

Ich war 16, in den letzten Zügen meiner Pubertät. Ich war aggressiv, egomanisch und größenwahnsinnig und gleichzeitig verwirrt und verschüchtert. Keine gute Kombination. Alles erschien mir ungerecht. Alles. Selbst eine Brötchenhälfte, die mir runterfiel, auf die falsche Seite, war nur ein weiterer Beleg dafür, wie abgrundtief schlecht die Welt doch war und wie verlogen gut sie es mit mir meinte. Die meiste Zeit über lief ich mit gesenktem Kopf und Fäusten in den Taschen umher und brachte kaum mehr als ein »Mmh« oder ein »Okay« über die Lippen. Ich hasste Konversation. Und Gutgemeintes. Und Freundlichkeit. Zweifel, Scham und Wut waren meine ständigen Begleiter, es war, als wäre ich immerzu im Ausnahmezustand, als hielte ich Händchen mit einem offenen Stromkabel. Schuld waren die anderen. Es waren immer die anderen. Wer sonst. Ich dachte, dass es unmöglich wahr sein konnte, all diese Dummheit, um mich herum, in unserer Stadt, in diesem Land, auf diesem Planeten. Das konnte nicht mit rechten Dingen zugehen, unmöglich, da musste jemand seine Finger mit im Spiel haben. Und das machte mich wahnsinnig. An Ruhe und Gelassenheit war nicht zu denken. Ich war viel zu sehr damit beschäftigt, alles und jeden und insbesondere mich selbst zu hinterfragen.

Die Philosophie half nicht unbedingt, meinen Zustand zu verbessern. Ich mochte sie, ja, aber ich hatte sie bis dahin immer als Lehre verstanden, Bildung, die uns Onkel Seamus näherbrachte, die uns einen Vorsprung verschaffte, einen intellektuellen, uns Arbeiterkindern, die wir eigentlich für etwas ganz anderes bestimmt waren. Außerdem ließen mich Hobbes und Hume, Platon und Wittgenstein oft genug mit Fragen anstatt mit Weisheiten zurück, sie verwirrten mich, weil ich ständig versucht war, aufs Äußerste zu widersprechen, all den wohlfeinen Elogen, und gleichzeitig schämte ich mich, da es mir nicht zustand, die großen Geister zu kritisieren. Denn wer war ich schon, außer ein wütender Junge, der nicht wusste, wie er seine Wut in Worte fassen konnte?

Und dann gab Onkel Seamus mir das erste Mal Nietzsche zu lesen. Es gab keine – wie sonst üblich – stundenlangen Einführungen zum Leben, zum Werk und zur Rezeption des Philosophen. Nein, dieses eine Mal nicht. Onkel Seamus sagte nur, ich solle tief Luft holen und mir mal ordentlich den Kopf verdrehen lassen, ganz ohne Drogen. Danach, so gab er zu bedenken, sei ich allerdings auf ewig verdorben. Das machte mich neugierig. Auch wenn ich das nicht zeigte. Nach außen hin zeigte ich gar keine Regung. Ich war gelangweilt. Total. Ich nahm die Bücher, ging in mein Zimmer, schmiss sie aufs

Bett, legte *The Stooges* auf und nahm Band 1 der Gesamtausgabe in die Hand. Ich begann mit der *Geburt der Tragödie* und dachte: Aha. Und: Hm. Und: So, so. Als ich wieder aufhörte zu lesen, waren die Sommerferien vorbei. Und ich kann mich an nichts erinnern. An nichts, das ich getan hätte, außer zu lesen, zu essen und zu schlafen. Und selbst im Schlaf noch wirbelten die Gedanken wie aufgescheuchte Hühner hin und her und die Morgenröte hatte nichts mit Romantik zu tun. Ich war viel zu jung für Nietzsche. Er überforderte mich, nicht, weil er so kompliziert daherredete, sondern weil er so deutlich, so radikal sprach. Und weil er sich dabei wie eine Horde Büffel benahm, die einen ohne Vorwarnung überrennt.

Als ich wieder aufstand, meine Knochen zurechtknackte und den Staub von den Klamotten schlug, war mir ganz schummrig zumute, und ich taumelte in die Küche, wo Onkel Seamus saß, einen Kaffee trank und milde lächelte. Ich hatte das Gefühl, nun noch wütender zu sein, als ich es ohnehin schon war. Aber zum ersten Mal war da jemand, der Dinge aussprach, die ich nur zu fühlen in der Lage war, der erklärte, warum man so fühlte, und den Glauben säte, dass man nicht allein war in dieser großen, kranken Welt. Und ich sah, dass er Antworten auf Fragen gab, die ich noch gar nicht kannte, von denen ich aber immer so ein mulmiges Gefühl hatte, dass sie da waren. Ein böser Denker, aber ja, nichts für zarte Pflanzen, die sich gut fühlen müssen, nichts für die, die groß und stark mit dick und satt verwechseln.

Der große Immoralist, der Verbrecher, der Umstürzler, der Antichrist, der Normen und Werte, der die Moral verwarf, um sie überhaupt erst untersuchen zu können. Alles schien so leicht und gleichsam radikal, Aphorismen, Essays, kleine Abhandlungen, immer verspielt, episch, lyrisch, prosaisch, alles, nur nicht langweilig, wild denkend, für Freigeister, nicht für Beamte, keine komplexe Struktur, nicht *die* Idee, nicht *das* Absolute, einer, der sich selbst immerzu widersprach, der sich das Recht herausnahm, neue Werte zu beanspruchen, nicht Erkenntnis predigte, keine Allgemeingültigkeiten, keine Imperative aufstellte, für den Überzeugungen schlimmer als Lügen waren, der Gesinnungen für das Übel an sich hielt, der nicht Totalität beanspruchte, der nichts Vorhandenes als gegeben ansah, für den alles immerzu ein Werden war. Er lehrte mich, dass es keine dauernden Dinge gibt, keine ewig wahren, dass das, was für mich gut ist, nicht das Gute an sich ist, dass es eben nicht darum geht, das eigene Handeln zur Maxime für das allgemeine Handeln emporzuheben.

Über Hobbes, der von einem denkenden Menschen verlangte, das Lachen zu überwinden, konnte Nietzsche nur lachen. Es klang wie: Ohne Humor stirbt man, Gott ist der beste Beweis. Er war gut im Austeilen, mit ganzem Herzen dabei, ohne Scheu und falsche Freundlichkeit konnte er Rousseau eine »Moral-Tarantel« nennen. Er hatte ein Faible für Außenseiter, für das Abseitige, das Undenkbare. Abweichende Ansichten, sagte er, wäge man nicht ab, man begnüge sich damit, sie zu hassen. Es waren solche Sätze, mit denen er zornigen, jungen Menschen wie mir aus dem Herzen sprach. Er war jemand, der keine Schafe wollte, nicht wollte, dass man ihm nachrannte, sondern dass man seine eigenen Wege ging, der selbstständiges Denken forderte, der nie nachäffte oder wiederkäute, der das Herdentier mit einer Fingerübung schlachtete, der Antinihilst, der über den Menschen hinaussah, dem der Weisheit letzter Schluss nur kleingeistiger Unfug war.

Die erste, die letzte und die einzige Regel hieß: Denke. Denke um, denke neu, denke kreuz und denke quer, denke. Und sei dir nie gewiss, nie sicher, ruhe dich nicht aus, sei kein selbstzufriedener Idiot. Und all das hat mich arg fasziniert.

Dadurch habe ich gelernt, dass es einzig und alleine darum geht, überfordert zu werden.

Und genau das war es auch, was Onkel Seamus uns von der ersten Minute an lehrte. Er sagte, die meisten Menschen denken, ihr Körper und ihr Geist seien etwas Heiliges, dass sie immerzu beschützen müssen. Dabei müssen sie es in erster Linie schinden und schänden. Woran, fragte er, will man denn sonst wachsen? Nicht nur Muskeln brauchen Überforderung, auch der Geist, sonst verkümmert er, an den Gewissheiten, den Nettigkeiten, den Blingblings, mit denen er tagtäglich gefüttert wird. Einfacher machte es das Leben nicht. Es war unbequem und aufwühlend. Ich verbrachte Stunden, Tage, Wochen, Monate und Jahre damit, wütend zu sein, Gedanken auseinanderzunehmen und wieder zusammenzubauen, zu zweifeln und zu hadern, mich klein und ungenügend zu fühlen und dann wieder stark und übermächtig. Und das war toll. Und aufregend. Denn es waren Abenteuer, die von ähnlich grotesken Schurken, Jungfrauen und Helden bevölkert wurden, wie ich sie in Romanen und Filmen fand, nur, dass sie unheimlich viel klüger waren.

Diese Kämpfe bereiteten mich auf das Leben vor, auf Menschen, auf ihre Unterschiede, auf das Andersartige. Sie machten mich sicherer im Umgang mit anderen und gleichzeitig auch ruhiger und gelassener. Die Lektionen, die ich lernte, waren bitter für mein Ego, denn ich musste verstehen, dass es nicht um Verständnis geht, dass es mir nicht zusteht, das Gewähren, das Verurteilen, dass ich kein Gutsbesitzer bin, der nach Gutdünken lobt und tadelt. Und so lernte ich früh schon, fremde Seinsweisen nicht nachvollziehen zu können, nicht einmal zu müssen.

Onkel Seamus hat immer betont, dass er ein Konservativer ist. Er liebt Werte. Seine erste, größte und auf ewig wichtigste

Maxime heißt: Jeder Mensch ist frei, der zu sein, der er sein möchte. Als Frankie und ich – wir waren 14 und 11 – die beiden einzigen offen lebenden Schwulen unserer Stadt bei einem Fußballspiel liebevoll als scheiß Schwuchteln beschimpften, gab es für mich den Von-dir-hätte-ich-mehr-erwartet-Blick, für Frankie hingebungsvoll links und rechts hinter die Ohren. Onkel Seamus sagte, dass wir Homosexuelle Schwuchteln nennen dürfen, dass wir uns über ihre Eigenarten lustig machen dürfen, und wenn sich die Homos daraufhin diskriminiert und beleidigt fühlten, dann durften wir uns selbst darüber lustig machen, so wir denn unbedingt Trottel sein wollten. Er sagte, dass er es nicht im Geringsten nachvollziehen könne, warum man seinen Schwanz in das Arschloch eines anderen Mannes stecken mag. Schon bei dem Gedanken daran werde ihm speiübel. Und? So fragte er, bin ich etwas Besseres, weil ich auf feuchte Mösen stehe? Nein, natürlich nicht. Ich habe nur einen anderen Geschmack. Das ist alles. Und wir sollten es besser nicht noch einmal wagen, eine richtende Wertung wie »scheiß« beizugeben.

Aber Onkel Seamus beließ es nie bei einer Rechthaberei, er wollte uns nichts einbläuen, er wollte, dass wir verstehen, dass wir einsehen, in andere Sichtweisen, in andere Welten, Verurteilen kostet nichts, keine Mühe, keine Kraft und keinen Mut. Er sagte, Homosexualität sei unnatürlich. Wenn es um den Akt der Fortpflanzung gehe. Denn Homosexuelle können sich nicht fortpflanzen. In dieser und nur in dieser Angelegenheit also sei Homosexualität in der Tat völlig unnatürlich. Sexuell gesehen sei sie es nicht, sagte er. Denn dann würde man Sex nur auf seine Nützlichkeit zur Reproduktion reduzieren. Sex hat jedoch in erster Linie etwas mit Lust zu tun, und diese Lust wird nicht davon gesteuert, ein Kind zeugen zu wollen. Lust ist als Empfindung etwas völlig Natürliches, und es spielt keinerlei Rolle, ob diese Lust sich auf Gegenstände, weibliche oder männliche Gespielinnen oder auf sonst etwas bezieht. Lust ist nicht unnatürlich, keine Lust, ungewöhnlich, ja, weil sie nur von wenigen oder einer Minderheit geteilt wird, aber unnatürlich kann sie per Definition nicht sein, denn dann müsste man die Empfindung Lust eliminieren, aus etwas Menschlichem also etwas Unmenschliches machen. Wenn Lust natürlich ist, kann Homosexualität nicht unnatürlich sein, sagte er. Nur wenn die Lust sich gegen jemand anderen richtet und Schaden zufügt, und nur dann, ist Lust sanktionierbar. Die meisten verwechseln immer nur die Begriffe *Gewöhnlich* und *Natürlich* miteinander. Die Gewöhnlichen mögen es gar nicht, wenn man anders ist, und da wir im Zeitalter der Gewöhnlichen leben, sagte Onkel Seamus, sei es geradezu unsere Aufgabe, für das Ungewöhnliche zu kämpfen. Den persönlichen Geschmack mit dem Maßstab für gut oder schlecht zu verwechseln, den eigenen Geschmack zum Geschmack aller machen zu wollen, sei eine Tragödie und nicht nur ein kleiner Fauxpas, und genau daran erkenne man den billigen Charakter, den unnötigen Menschen. Denn jene, die uns vorschreiben, was wir mögen, wie wir leben, wie wir lieben, was wir konsumieren sollen, seien genau die Menschen, die für all das Tragische dieser Welt verantwortlich sind.

Als Frankie trotzig vorbrachte, dass selbst Pfarrer William Homosexualität für eine verachtungswürdige Sünde hält, gab es gleich noch einmal links und rechts hinter die Ohren, mit dem Hinweis geschmückt, dass Pfarrer William die verlogenste Schwuchtel ganz Großbritanniens sei.

Durch diese simplen Beispiele und kleinen Lektionen lernte ich früh, dass wir die Vorlieben, Neigungen und Sehnsüchte anderer nicht verstehen müssen, nicht mögen, nicht einmal gutheißen müssen, dass wir sie einfach nur zu tolerieren haben. Das hatte jedoch nichts mit der lieben, heilen Welt gut-menschelnder Weichlinge zu tun, die für alles und jeden Verständnis und ein warmes Wort übrig haben. Auf die reagierte Onkel Seamus ganz besonders allergisch. Für das Gerechte, sagte er, müsse man kämpfen, es falle nicht vom Himmel, insbesondere nicht denen, die an den Himmel glauben. Gleichwohl er nie etwas gegen die Gläubigen hatte, solange sie keine Gotteskrieger waren. Einem religiösen Fanatiker aber könne man nur mit Respekt begegnen, sagte Onkel Seamus: Spuck ihm einfach ins Gesicht. Denn auch das war seine Devise: Keine Toleranz gegenüber den Intoleranten. Und hätte jemals ein Salafist Onkel Seamus gefragt, ob er Kinder habe, so hätte er ihm für diese Drohung die Kehle durchgeschnitten, da bin ich sicher.

Ich glaube, das mochte ich an dem Philosophieunterricht am meisten, dass es immer auch einen Bezug zum Leben gab, dass große Begriffe wie Tugend, Vernunft oder Moral nicht nur theoretisch überladene Gebilde waren, sondern dass sie das Leben bereicherten, ungemein und unabänderlich.

**11** Zum Abschied hatte mir Herman Zuwinden noch ein *See you later, Alligator, oder Arrividertschi, wie der Franzose sagt* nachgerufen, woraufhin ich Schluckauf bekam und die Luft anhalten musste.

Er wollte mich mit seiner Großzügigkeit nicht beschämen, aber er bestand darauf, mir zwei Flaschen Wasser zu schenken. Er sagte, ich könne sie gebrauchen. Ich erhielt auch Anweisungen, wie ich mit Betty zu verfahren habe.

Der Käfer heißt Betty. Ich soll *es* beim Namen nennen, hat er gesagt, sonst könnte *sie* zickig werden.

Ein Auto.

Zickig.

Und nur um mir selbst etwas zu beweisen, um klarzustellen, dass ich an Verniedlichung nicht glaube, sage ich: »Liebe Betty, es ist nichts Persönliches, aber ich nenne dich von jetzt an einfach Russel.«

Nichts.

Nichts passiert.

Was sollte auch passieren?

Es läuft sogar besser als befürchtet. Sicherheitshalber habe ich mich umentschieden. Ich fahre auf dem direkten Weg nach Vegas. Ich glaube nicht, dass ich es mit Russel bis ins Death Valley schaffe, und leider wird es wohl auch nichts mit meinem Tagesausflug nach Bombay Beach am Salton Sea, dieser surrealen Kleinstadt, von der Frankie erzählt hat, in der die Zivilisation an einem versalzten, toten See ihr trauriges Theater spielt. Dachte, ich schaffe es nicht einmal bis Downtown. Aber es sieht gut aus. Vom Boulder Highway auf die Freemont Street und dann dürften es nur noch ein paar Meilen immer geradeaus sein.

Die Gegend sieht alles andere als einladend aus. Hoffe, das Hotel liegt besser.

Ich hatte mir das Monte Carlo ausgesucht. Nicht das Billigste, nicht das Teuerste. Mittelmaß. In allen Belangen. Aber Whip hatte mir den Kopf gewaschen. Niemand, der auch nur halbwegs cool ist, steigt am Strip ab, so seine Worte. Er habe mich im *El Cortez* untergebracht. Downtown. Gehörte mal dem guten alten Bugsy. Siegel, Bugsy Siegel. Mobster. Alte Schule. Wurde erschossen. Whip ist immer sehr auf Coolness bedacht. Mir ist Coolness eigentlich egal, sie stört mich aber auch nicht groß.

Wird schon.

Das Problem ist die Hitze.

Denn Russel hat selbstverständlich keine Klimaanlage, nur eine Lüftung, die bei 40 Grad Außentemperatur allerdings wenig Sinn macht.

Jackett und Krawatte habe ich längst ausgezogen, die zwei Flaschen Wasser schon getrunken, und das in nur einer Stunde. Mein Mund ist trocken und die Luft stickig. Fürchte, mein Kreislauf wird das nicht ewig mitmachen. Vielleicht sollte ich es noch einmal mit Frischluft versuchen. Ich suche den elektrischen Fensterheber, sehe aber nur eine Kurbel. Ich drehe sie im Kreis, das Fenster quietscht herunter und ich merke sofort, dass das eine äußerst schlechte Idee war. Die Luft ist wie ein Fön auf höchster Stufe. Ich kurble wieder hoch. Es hakt. Ich versuche es mit Gewalt. Die Kurbel bricht ab.

Ich hasse Slapstick.

Ich habe das Gefühl zu ersticken. Jeder Atemzug ist …

Die Heizung.

Die Heizung geht.

Nein.

Bitte nicht.

Die Heizung geht.

An.

Ich weiß nicht, ob ich schon tot bin, aber ich gehe schwer davon aus. Diese Hitze kann kein menschlicher Körper verkraften. Russel anscheinend auch nicht. Der Motor fängt an zu dampfen, vielleicht die Zylinderkopfdichtung, vielleicht die Kolbenringe, keine Ahnung. Ich kann im Rückspiegel kaum noch die Straße erkennen. Ein lauter Knall. Das war's.

Fantastisch.

Ich lenke Russel an den Straßenrand und steige aus. Mein Hemd ist mittlerweile durchgeschwitzt. Ich rieche. Unangenehm. Ich schaue mich um. Ein Straßenschild. Freemont Street. Na immerhin, es kann nicht mehr weit sein. Ich muss immer nur geradeaus gehen.

Richtung Downtown.

Die schwierige Gegend.

Ich kremple die Ärmel hoch und mache mich auf den Weg.

Ungewöhnlich viele Motels hier. Und fast alle sehen heruntergekommen aus. Hufeisenförmige Flachbauten. Zimmer an Zimmer. Parkplatz vor der Tür. Die Verheißungen wie *Nice Rooms*, *Fully Remodeled* oder *Cable TV* wirken auf den großen verwitterten Werbetafeln wie eine Drohung. Eingänge, die mit Maschendraht und Stahlgitter geschützt werden, sind kaum weniger einladend. Und Hinweise wie: *No Visitors allowed after 10 PM* lassen der Fantasie keinerlei Grenzen. Einige der Motels sind gar nicht mehr in Betrieb. Und es scheint niemanden zu geben, der sich auch nur ansatzweise um sie kümmert. Müll stapelt vor den Eingängen, Katzen streunen unruhig umher und der Wind klappert lose Jalousien gegen die Fenster.

Sirenen kommen näher und verschwinden wieder.

Ich sollte nicht hier sein.

Die Sonne scheint. Aber ich sollte hier nicht sein. Ich habe hier nichts verloren. Zu keiner Zeit, aus keinem Grund. Ich bin hier der Außenseiter. Der Tourist. Der das alles recht spannend findet. Diesen Dreck. Diesen Gestank. Diese Armut. Ich mache Fotos. Mit meinen Augen. Für mein ganz privates Poesiealbum. Und ich schäme mich dafür. Kurz und flüchtig. Und obwohl ich dieses kleine Abenteuer mag, weiß ich, dass ich hier rausmuss, bevor es ungemütlich wird. Bevor das Amüsement zum Alptraum wird. Drei der zehn gefährlichsten Straßenzüge Amerikas befinden sich in Las Vegas. Ich habe das Gefühl, mich auf allen dreien gleichzeitig zu befinden. Ich bin kein ängstlicher Mensch, war ich nie, aber ich halte Leichtsinn nicht für eine Tugend, und Mut spielt für mich nur eine Rolle, wenn es etwas zu retten oder zu verteidigen gilt. Mutproben mache ich seit meinem 15. Lebensjahr nicht mehr. Seit ich mir das rechte Bein bei einem Sprung aus drei Metern Höhe gebrochen habe.

Zwei Ghettokids kommen mir entgegen. Ich kann sie schon aus fünfzig Metern Entfernung erkennen. Schlurfender Gang, hängende Köpfe, kleine Vulkane, wie es sie in jeder Großstadt gibt. Hinter mir höre ich ein Auto. Ich drehe mich um. Es ist ein Taxi. Es ist leer. Geht doch. Ich winke es heran. Es wird langsamer und als es auf meiner Höhe ist, fährt es im Schritttempo weiter und beschleunigt wieder.

Das

ist

nicht

nett.

Ich stecke die Hände in die Hosentaschen und gehe weiter. Gut, dass ich so verschwitzt bin und mehr wie ein Junkie auf Turkey aussehe als ein zahlungskräftiges Opfer.

Die beiden Ghettokids gehen an mir vorbei und der kleinere der beiden sagt: »Yo, Penner, kauf dir mal 'n Deo.«

Mach ich. Versprochen.

Wieder kommen Sirenen näher und verschwinden.

Auf der gegenüberliegenden Straßenseite schlurft ein Pärchen Marke White Trash mit mehreren Plastiktüten zu einer Bushaltestelle. Der Mann schaut mit schwarzen tief in den Höhlen liegenden Augen zu mir herüber.

Gleichzeitig rauscht ein elektrisches Surren von rechts schnell näher.

Ich drehe mich um.

Zu spät.

Er ist schon neben mir.

Ich muss hinunterblicken.

Und ich bin irritiert.

Es ist Elvis.

Sitzend.

Ein Impersonator. Eine Kopie des sehr, sehr späten Elvis. Er trägt diesen berühmten weißen Anzug mit dem hohen Kragen und dem Pfauenmuster aus Glitzersteinen. An den Handgelenken und Fesseln ist der Anzug schon ein wenig abgewetzt und fleckig. Um seinen Hals hängt ein Tablet, irgendeine No-Name-Marke. Seine Haare sind schwarz gefärbt und hängen strähnig über das speckige Gesicht. Die Augen sind durch eine gelb-orange getönte Sonnenbrille kaum zu erkennen. Er fährt auf einem elektrischen Dreirad, eines von der Sorte, mit dem normalerweise Rentner und Gehbehinderte auf Bürgersteigen cruisen, ein Hybrid aus Rollstuhl und Einkaufswagen. Zwei kleine Boxen sind vorne befestigt und ein Mikrofon klemmt in einer Halterung am Lenkrad. In einem Körbchen am Heck liegt ein Six Pack Fosters. Eine der Dosen, offensichtlich leer, zerknüllt er in der Hand und wirft sie in Richtung eines öffentlichen Mülleimers, den er kilometerweit verfehlt. Dann nimmt er sich eine neue Dose und öffnet den Verschluss mit einem lauten Zisch.

Ich gehe weiter.

Er rollt neben mir her.

»Wohin des Weges, mein Freund?«, fragt er.

»Downtown«, sage ich.

»Da haben Sie ja Glück. Das ist auch mein Weg. Der Job ruft. Ich begleite Sie ein Stück. Auch ein Bier?«

»Nein, danke.« Ich überlege kurz. »Haben Sie vielleicht Wasser dabei?«

»Wasser? Wofür?«

»Zum Trinken.«

»Wasser? Sie sind ganz schön schräg, wissen Sie das? Was machen Sie eigentlich hier? Ist keine gute Gegend. Wirklich, keine gute Gegend. Ich an Ihrer Stelle würde nicht einfach so hier langgehen. Hier haben Sie schneller eine Knarre im Arsch, als Sie Oops sagen können.«

»Danke für den Tipp. Ich bin Billy. Schön, Sie kennenzulernen.«

»Ich weiß.«

*Ich weiß?*

»Und, wie ist Ihr Name?«, hake ich nach.

Er sieht mich merkwürdig an. Fragend. Als wäre der Hinterwald mein Zuhause. »Sie wissen nicht, wie ich heiße?«

»Äh, nein.«

»Nicht Ihr Ernst.«

»Doch, eigentlich schon ...«

»Na, Elvis.«

»Ich meine Ihren richtigen Namen.«

»Elvis.«

»Elvis?«

»Hallo? Jemand zu Hause? Sehbehinderung?«

Ich bin nicht sicher, ob er in einer Identitätskrise steckt. Frage aber nicht nach.

Er nimmt einen großen Schluck aus seiner Fosters-Dose, macht ein Bäuerchen und schüttelt verständnislos den Kopf. Mehr zu sich selbst sagt er: »Habe ich mich denn so sehr verändert? Erkennt man mich nicht mehr wieder? Letzten Monat hat mich ein geisteskranker Tourist Shakin' Stevens genannt. Wer zur Hölle ist Shakin' Stevens? Geht die Welt unter?«

Er rollt immer noch neben mir her. Das Surren hat merkwürdigerweise etwas Beruhigendes. Er mustert mich erneut aus den Augenwinkeln und sagt: »Ich kann Ihnen ja mal was vorsingen, vielleicht macht es dann klick. *In The Ghetto* oder *Always On My Mind*?«

»Nicht nötig, aber vielen Dank, sehr nett.«

»*In The Ghetto* oder *Always On My Mind*?«

Er kneift die Augen zusammen und sieht jetzt ein winziges bisschen gefährlich aus.

Das heißt wohl, er möchte unbedingt etwas vorsingen, komme, was da wolle.

Herrje.

»Dann … vielleicht lieber *Always On My Mind*.«

»Also gut, überredet, *In The Ghetto* also. Ich sage gleich wie es ist, Halbplayback, meine Band ist momentan außer Haus.«

Er nimmt das Mikro, schaltet es ein und klopft mit der flachen Hand kurz drauf. Ein leichtes Rückkoppeln schwingt sich ein. Er wischt auf seinem Tablet den passenden Song zurecht und knipst ein Lächeln an, das merkwürdig und ein klein wenig unheimlich aussieht. Der Fahrtwind ruiniert seine Frisur, aber das spielt keine Rolle, denn große Kunst braucht keine Frisur.

Ein letztes Räuspern.

Musik ab.

Die Gitarre klingt blechern.

Und bitte.

»*As the snow flies* …«

Überraschung.

Seine Stimme müht sich redlich am Original, an diesem gospelgeschulten Bariton mit dem zitternden Vibrato, an dieser schmachtenden Sehnsucht nach Liebe, Frieden und Gerechtigkeit.

Es muss merkwürdig aussehen, wie wir beide nebeneinander die Straße langgehen beziehungsweise rollen und Elvis *And his Mama cries* singt. Die Blicke, die er mir ab und an zuwirft, sind von sorgenvoller Traurigkeit. Er ist nicht nur ein passabler Sänger, er ist auch ein passabler Mime.

»Und, hat es jetzt klick gemacht?«, fragt er, als der letzte Akkord verklungen ist.

»Absolut. Großes Potenzial. Verehrung.«

»Danke, aber das Singen ist nur noch ein Hobby von mir. Lohnt sich nicht mehr richtig. Mir stirbt das Publikum weg. Aber ich habe rechtzeitig vorgesorgt. Ich gehe jetzt in die Politik.«

»Sie möchten Politiker werden?«

»In einem Land, in dem es Bodybuilder zu Gouverneuren und Schauspieler zu Präsidenten schaffen, in solch einem großartigen Land der unbegrenzten Möglichkeiten kann der King auch Bürgermeister von Las Vegas werden. Eine Fingerübung. Aber mein Ziel ist schon die Weltherrschaft. Langfristig gesehen.«

»Verstehe.«

»Ich habe auch schon ein Programm, einen 10-Punkte-Plan. Zunächst werde ich die Politiker abschaffen.«

»Ich dachte, Sie wollen Politiker werden.«

»Ja, Sportsfreund, um sie abzuschaffen. Kennen Sie irgendjemanden, der Politiker mag?«

Ich denke nach und muss an Onkel Seamus denken, der immer sagte: Politiker sind auch nur Schweine. »Nein, eigentlich nicht.«

»Sehen Sie! Eben! Eben! Folgen Sie mir. Es gab mal eine Zeit, da waren die Herrscher aller Länder von blauem Blut. Sie hießen König oder Königin und sie lebten in einem Schloss oder auf einer Burg oder so. Und irgendwann merkten die Untertanen, dass diese Leute Nichtsnutze waren, und schlugen ihnen die Köpfe ab. Heutzutage sind es nicht einmal mehr Könige. Nur noch Nichtsnutze. Dicke. Die nicht singen können.

Tanzen auch nicht. Kein Rhythmusgefühl. Hoffnungslos. Wir haben das jetzt gemerkt, wir haben sie bisher nur noch nicht geköpft. Dafür aber ist nun Elvis da.«

»Aha, und wer regiert, wenn alle Politiker geköpft wurden?«

»Na, die 1000.«

»Die 1000?«

»50 Denker, 50 Handwerker, 50 Wirtschaftsheinis, 50 Künstler, 50 Ärzte, 50 Obdachlose und so weiter, bis man 1000 zusammen hat. Das große Plenum. Und Elvis als erster Vorsitzender oder Ehrenpräsident oder Gott. Was halten Sie davon?«

»Klingt toll.«

»Wenn Sie möchten, gebe ich Ihnen Bescheid, sobald die Revolution beginnt. Mein Assistent Danny Boy wird Sie kontaktieren. Aber eigentlich müssen Sie nur den Himmel beobachten. Wenn Sie ein großes E sehen, wissen Sie, es ist soweit.«

»Prima. So, da vorne ist mein Hotel, vielen Dank für die Begleitung, war mir eine Ehre.«

Elvis schaut irritiert. »Das *El Cortez*? Ich dachte, Sie hätten Geld.« Er wühlt in seiner Brusttasche. »Hier, ich gebe Ihnen noch eine Autogrammkarte mit. Falls sie mal nichts zu essen haben, können Sie damit bezahlen, überall in Vegas. Aloha, mein Freund.«

Ich schaue auf die Karte und bin irritiert. Dann schaue ich Elvis nach, wie er in Richtung Amüsiermeile rollt, um sich mit Touristen fotografieren zu lassen, die ihm dafür einen Dollar zustecken werden, nicht ahnend, dass sie einer Legende begegnet sind. Allerdings frage ich mich, ob die Legende weiß, dass Elvis nicht mit W geschrieben wird.

# 12

Im wahren Leben war die Philosophie oder das, was ich von ihr wusste, nicht immer von Vorteil. Wie zum Beispiel in der Schule. Ich sagte oder schrieb auf, was ich von Onkel Seamus gelernt hatte. Sagte, woran ich glaubte oder nicht glaubte, und diese Dinge waren mit pädagogischer Korrektheit nicht immer kompatibel.

Ich hatte vielleicht zwanzig Lehrer während meiner Schulzeit. 19 davon trichterten uns Wissen ein, sie taten, was sie gelernt hatten, ihren Job. Und dann hatte ich Mr. Macmillan. In Mathematik. In der fünften Klasse. Bis heute mag ich keine Mathematik, was vor allem daran liegt, dass ich überhaupt kein Talent für Mathematik besitze. Zahlen in Kombination mit Buchstaben und Sonderzeichen finde ich nahezu unheimlich. Aber in der Schule liebte ich die Mathematik. Wie alle anderen auch, die bei Mr. Macmillan Unterricht hatten. Mr. Macmillan war ein alter, weißhaariger Mann, der seine Augenbrauen auch hätte flechten können, so lang waren sie. Er war schon ewig pensioniert, unterrichtete aber aus Nachwuchsmangel noch einige Jahre weiter. Er war der Einzige meiner Lehrer, den Onkel Seamus nicht als *Gurkensandwich, das der Hund schon mal im Maul hatte*, bezeichnete. Ganz im Gegenteil, er hatte eine Hochachtung vor Mr. Macmillan. Ich auch. Denn es hieß, er habe mal einem Schüler auf sehr traditionelle Art und Weise die Leviten gelesen, mit einem Lineal, dreißig Zentimeter, Hartholz. Für dieses Gerücht fand ich über all die Jahre jedoch keinerlei Bestätigung. Es war nicht so, dass er keine Autorität ausstrahlte, denn das tat er, aber auf eine sehr natürliche Art und Weise, er brauchte dafür keine Lautstärke, kein Gepolter und auch kein Unrecht. Seine physische Präsenz reichte völlig aus. Sein Unterricht war ungewöhnlich, um nicht zu sagen eigensinnig. Er erwartete von uns, dass wir kopfrechnen konnten, den Dreisatz und die Grundlagen der Algebra beherrschten. Mehr nicht. Die wirklich spannenden Sachen, sagte er, sind die Probleme der Mathematik, nicht die Lösungen. Er spielte mit den Zahlen und er spielte mit uns. Und manchmal hatte ich das Gefühl, dass er ganz verliebt war in Zahlen, so wie man in Mädchen verliebt ist oder in Turnschuhe. Damals, mit elf Jahren, war das ungefähr das Gleiche. Und so betraten wir nicht selten Wege, die wir komisch fanden, um nicht zu sagen unheimlich, wir gingen in Irrgärten und durch Sümpfe, in denen jeder Schritt waghalsig war, immer auf der Suche, immer im Fieber, der Erste sein zu wollen, der Mr. Macmillan mit seiner Supergescheitheit beeindruckte.

Er fragte uns zum Beispiel, wie viel eins plus eins sei. Und gleichwohl uns diese Frage merkwürdig vorkam, sagten wir natürlich alle: zwei. Und dann fragte er uns, ob wir schon mal davon gehört hätten, dass es in der ganzen Welt keine zwei Dinge gibt, die vollkommen identisch sind. Und da wir kluge Kinder waren, sagten wir natürlich alle wieder ja, selbst die, die noch nicht davon gehört hatten. Und dann fragte er uns, wie wir nun auf die Idee kommen können, dass eins und eins gleich zwei sei und nicht ungefähr zwei oder annähernd zwei. Und darüber diskutierten wir dann, lautstark und inbrünstig, und uns allen schwirrte ungeheuerlich der Kopf, und die Zeit bemerkten wir gar nicht, und wenn es dann klingelte, waren wir immer ganz erschrocken. Bis zum heutigen Tag bin ich hin und wieder unsicher, ob eins und eins tatsächlich zwei ist, trotz all der Theorien und Theoreme.

Mit Mädchen war es auch nicht immer einfach, wenn die Philosophie mit ins Spiel kam. Nicht, dass es keine Berührungspunkte gegeben hätte. Das Problem war von schlichterer Natur, denn die Philosophie war mein Aston Martin. Angeberei jedoch kommt selten gut an.

Wie zum Beispiel bei meinem ersten Date mit Mackenzie, die alle immer nur Mac nannten. Wir waren im gleichen Alter, beide 17. Das erste Mal habe ich sie mit Spooky gesehen, dem einzigen Skater in unserer Stadt, ich sagte Hi und sie sagte Hi, und ich war verloren. Eine Woche später waren wir verabredet. Für eine Demo. Sie hing in antifaschistischen Kreisen ab, und ich stand in dem Alter total auf Mädchen mit Zungenpiercing, hennagefärbten Haaren und Revolution im Herzen. Ich weiß gar nicht mehr genau, gegen wen die Demo war, ich vermute, gegen Fremdenfeindlichkeit. Ich mag Ideale und den Kampf für das Gute, nur war mir das Dünkelhafte, Kritik- und Humorlose wenn man sich einer Seite verschreibt, immer schon suspekt. Und auf Demos, so viel wusste ich bereits, war geistige Uniformierung oberste Pflicht. Hinter uns trommelten Goa-Jünger die Welt kunterbunt kaputt und neben mir trillerte unentwegt ein barfüßiger Jesus-Klon schrille Töne in seine nächste Umwelt, die aus unerklärlichen Gründen immer ich war. Mackenzie lächelte in einem fort, sie wirkte so lebendig und frei, voller Enthusiasmus und Leidenschaft, und als wir an einer Splittergruppe der National Front vorbeikamen, schrie sie: »Alle Menschen sind gleich!«

»Meinst du das ernst?«, fragte ich sie und ließ es nicht dabei bewenden, nein, ich musste natürlich noch den vom Existenzialismus enttäuschten Existenzialisten geben und fortfahren: »Möchtest du ein Mensch oder ein Hering sein? Der Begriff der Gleichheit ist nur eine rhetorische Floskel, eine Beruhigungspille, ein bedeutungsloses Nichts, er war und ist nie mehr als ein Mythos. Macmillan, mein alter Mathelehrer, könnte dir davon erzählen. Wir sind alle gleich? Für wen? Was die Gleichmacher wollen, ist wider unsere Natur, wider uns selbst, wo wir doch immerzu werten, den ganzen Tag, das ist unser ureigenstes Sein, und wir werten nicht, um etwas gleich zu machen. Wir sind nicht gleich. Es gibt nichts Phäno- oder Geno-typisches, es gibt auch nicht den Begriff der Rasse, etwas, das Rassisten nie verstehen werden. Wir gehören nur der gleichen Spezies an, das ist alles. Aber wir haben nicht das gleiche We-sen, die gleiche Intelligenz, die gleichen Fehler, die gleichen Stärken, die gleichen Gaben, die gleichen Chancen und nicht einmal die gleichen Götter. Gleichheit ist krank. Es ist nur ein Begriff, ein erfundener, moralisches Opium, weil wir es vor-ziehen, angelogen zu werden, weil wir Schäfchenwolken schö-ner finden als die Wahrheit. Der Wille zur Gleichheit ist nur eine Tragödie, eine letzte.«

Ich fand mich großartig. Sehr klug, sehr sexy.

Mackenzie schien auch beeindruckt.

Dachte ich.

Zehn Sekunden lang schaute sie mich an und sagte schließ-lich: »Billy, du musst dich entscheiden. Entweder gehen wir nach der Demo noch zu mir, wir werden uns mit billigem, sü-ßen Rotwein betrinken, Billy Bragg und The Clash hören, die schönsten Parolen laut mitsingen, ich werde dich bitten, mir den Nacken zu massieren, weil ich verspannt bin, obwohl das gar nicht stimmt, ich werde mein T-Shirt ausziehen, ich habe übrigens sehr schöne Brüste, und wir werden sexuelle Aben-teuer erleben, von denen du noch deinen Enkelkindern erzäh-len wirst, die das gar nicht hören möchten. Oder aber du fa-selst weiter so ein Zeugs.«

Fortan waren die Menschen für mich so was von gleich.

Später dann, an der Uni war es schwieriger. Denn von den Professoren wollte ich keine körperlichen Berührungen. Mit anderen Worten: ich war unbestechlich. Und meine Hybris war noch unantastbar, unverschämt, bodenlos und gemeinge-fährlich. Ich eckte an, wann immer sich die Gelegenheit bot, schließlich hatte man mir mehr beigebracht, als es jemals an einer Universität möglich gewesen wäre. Frankie und ich waren uns immer bewusst, dass wir Arbeiterkinder waren, wir pflegten dieses Außenseiterimage, wir hatten einen Ruf zu verlieren, und außerdem hatte ich das Gefühl, dass die Universität nur ein Hort für Verwalter und schlecht angezogene Menschen war. Ich hingegen trug T-Shirts mit Weisheiten wie: Eure Schlichtheit kotzt mich an. Mir stand es also zu, ein Arschloch zu sein. Natürliches Recht. Außerdem rannten alle immerzu irgendjemandem hinterher. Die Universität war überfüllt mit Adepten, die auf Antipoden trafen, und dann wurde diskutiert, aber eigentlich immer nur referiert und doziert. Und immerzu ging es um kleinste Kleinigkeiten, die in Doktorarbeiten mündeten, die keinen interessierten, die nur dazu da waren, dass jemand Doktor werden konnte. Dass Nietzsche diese Leute verachtete, leuchtete mir ein, ich kam mir vor, als würde ich den Untergang des Abendlandes live und in Farbe miterleben. Pathos, klar, das ganze Programm.

In den Anfängen war ich auch gerne despektierlich gegenüber Philosophen, Theorien und Systemen, die in meinen Augen wie Pullunder aus der Altkleidersammlung aussahen. Ich rümpfte die Nase über Lockes Erkenntnistheorie oder Berkeleys Glaube an die Nichtexistenz der Materie, für mich war der Leviathan nur eine Ungeheuerlichkeit und die Scholastik ein mittelmäßiger Witz. Mein Lieblingsfeind war Kant. Das reine, praktische, kategorische und über alle Maßen vernünftige Denken war mir zutiefst suspekt. Ich habe es immer staunend bewundert, wenn Philosophen auch Maurer und Architekten waren, wenn sie komplizierte, mächtige, sagenumwobene Kathedralen und Schlösser bauten. Aber jedes Mal, wenn ich mich in diesen großartigen und zutiefst beneidenswerten Denkmälern umschaute, schien es mir, als müsse man nur einen der Bausteine rausziehen und schon falle alles in sich zusammen.

Dekonstruktion war immer schon der größere Spaß, aber das Pöbelnde habe ich mir längst abgewöhnt, nicht zuletzt, weil es um großartige Denker geht und weil ich nie jemand sein wollte, der seinen persönlichen Geschmack mit Wahrheit verwechselt. Angreifen, widerlegen, sogar verachten, ja, aber nie beleidigen, das, sagte Onkel Seamus immer, machen nur Idioten, die Einzigen, die man retour beleidigen dürfe.

Das Denken über Mensch und Gesellschaft hat bis heute nicht nachgelassen, es ist nur entspannter geworden, was nicht heißt, dass ich ein positiveres Bild gewonnen hätte, nein, das ganz gewiss nicht. Aber ich kann mittlerweile das Persönliche außen vor lassen … soweit es eben geht.

Wenn ich Emojis sehe, denke ich darüber nach, ob Sprache überwunden wird, ob wir zurückmutieren, in Zeiten der Laute und Gebärden. Wenn ich zu einem Konzert von Franz Ferdinand ins Chateau fahre, dann denke ich über illegale Lagerhallen, Uniformität und das Ende der Bewegungen nach. Und wenn eine Mitte-40-jährige-Joggerin mit perfektem Körper und drei farblich dezent aufeinander abgestimmten Fitnessarmbändern an mir vorbeiläuft, dann denke ich an Foucault, ich kann nicht anders. Ich denke dann über Bio-Macht nach, über Begriffe wie Humankapital, die Ökonomisierung des Lebens, das System, das Individuum, Flucht, Verlust und Illusion. Wenn Frankie eine Mitte-40-jährige-Joggerin mit perfektem Körper sieht, denkt er ans Ficken, wie er sagt, mit oder ohne Emoji. Und zweifelsohne hat er die schöneren Gedanken und zweifelsohne hat er es leichter.

Ich weiß, dass ich damit nerven kann, mit dieser permanenten Analyse und Reflexion, aber es geht nie ums Belehren oder Bekehren, es ist einfach mein Leben, mein Denken, mein Sein. Es nicht zu tun, wäre komisch, falsch, irreal, als würde ein Metzger einem Gitarristen die Finger abtrennen, nach und nach, und ab und an würde er sich erkundigen, ob es weh tut, denn er möchte ja nur höflich sein in dieser sterilen Welt, in der das Nachfragen keine Option mehr ist und die Empathie nur eine blass-romantische Idee.

Aber ich klopfe nicht an Türen, um mich zu beschweren. Begegnungen bedeuten immer auch Konflikte, und ja, bestenfalls positive.

Menschen. Leben.

Und dann gibt es natürlich noch die, die sterben.

Durch mich.

# 13

Ich stehe vor dem Casino.

Merkwürdig.

Soweit ich weiß, sind die Casinos in Vegas imposant, um nicht zu sagen: größenwahnsinnig. Dieses nicht. Von der Architektur her erinnert es mich an eine Hazienda. Keine besonders große, keine besonders teure. *Alt* würde ich als Adjektiv verwenden. Die Leuchtreklame in Vintage-Typo allerdings ist erste Liga. Auffällig, ultrahell und hochmütig.

Es ist das *El Cortez*.

Ich nehme den Seiteneingang. Macht Sinn, so wie ich aussehe. Vielleicht kann ich mich halbwegs unbemerkt bis zur Rezeption durchschlagen. Ich stecke mein Hemd wieder in die Hose und versuche, mit dem nassen Ärmel den Schweiß von meiner Stirn zu wischen. Ich fürchte, es gelingt nur mäßig, man wird mich merkwürdig anschauen, wie auch ich mich merkwürdig anschauen würde.

Die Schiebetüren sind orangefarben und halb durchsichtig, nahezu psychedelisch.

Als die Tür aufgeht, atme ich tief ein. Das Casino riecht nach Zigarettenrauch, Vanille und Piña Colada. Musik läuft. Lokales. The Killers mit *Human*. Alles ist voller Spielautomaten und von überall her macht es Bingelingeling und Dingeldong. Im Gegensatz zu den schrillen Geräuschen sind die Menschen an den Maschinen eher lethargisch. Direkt vor mit sitzt ein im Obdachlosen-Stil gekleideter Gast auf einem drehbaren Kunstledersessel. Der Gast ist eingeschlafen und hat − wohl der Gemütlichkeit halber − sein Plastikbein auf die Ablage gelegt. Das Publikum ist gemischt. Wenig Touristen. Ein schwarzer, alter Mann mit schlohweißer Lockenmähne zwinkert einer Kellnerin im Vorbeigehen zu, und ein weibliches Zwillingspärchen in den späten Jahren sitzt Cocktails schlürfend an einem Automaten, der Kitty Glitter heißt. Andere einarmige Banditen tragen ähnlich verheißungsvolle Namen wie Betti The Yetti, Lobster Mania, The Walking Dead oder Davinci Diamonds. Glamour allerdings ist hier nicht zu finden. Auffallend viel Security ist am Start. Hauseigene, in beige-braunen Uniformen, die irgendwie selbstgenäht aussehen. Der Teppichboden ist im Rosenmotiv gehalten, die Einrichtung verwegen. Das Casino in die Jahre gekommen. Altes Vegas. Sehr viel Charme. Muss man mögen.

Kaum jemand nimmt Notiz von mir, alle scheinen vollends mit ihrem Spiel beschäftigt zu sein, selbst die Security mustert mich nur aus den Augenwinkeln, weniger aus Sorge, eher amüsiert und nahezu freundlich. Als ich weiter reingehe, sehe ich, dass sich an den lauten Black-Jack-Tischen junges Volk unter die Spieler gemischt hat, kunststudentisch, modetauglich. Merkwürdig. Und auch nicht. Whip hat erzählt, dass in dieser Gegend die Künstler immer mehr an Territorium gewinnen, und Künstler lieben Oldschool.

Ich komme an *The Parlour Bar* vorbei, wo die Shows des

Hotels stattfinden. Ich habe von den Shows in Vegas gehört. Pompös sollen sie sein, atemberaubend und so. Hier aber gibt es nur eine Theke, ein paar Sessel und eine winzige Bühne. Auf einem Plakat wird ein Frank-Sinatra-Double angekündigt. Zweimal die Woche soll er hier auftreten. Das Double dürfte Ende fünfzig sein, gefärbte Haare, schwarzer Anzug, weißes Hemd, Einstecktuch. Könnte auch Neil Diamond darstellen. Sieht nach Halbplayback, Luftgitarre und erotischen Hüftbewegungen aus. Bestimmt interessant.

An der Rezeption ist einer der beiden Schalter frei. Ich checke bei Anita ein, deren Namensschild leicht schief hängt. Ich erzähle ihr von meinem Missgeschick, aber sie lächelt nur, Missgeschicke scheint man hier zu kennen. Ich stecke ihr 50 Dollar zu und frage, ob sie mir ein weißes Hemd und frische Wäsche besorgen und aufs Zimmer bringen lassen könnte.

Kein Problem.

Das Hotel befindet sich im angrenzenden Tower. Ich fahre mit dem Aufzug bis in die 9. Etage und folge den Schildern zu Zimmer 905.

Die Karte funktioniert. Schön.

Das Zimmer ist größer als erwartet, vielleicht 25 Quadratmeter. Ordentlich in die Jahre gekommen, aber sauber. Der tannenwaldgrüne Teppich muss noch aus dem letzten Jahrhundert sein, der Rest auch. Sekretär, Kommode, die beiden Queensize-Betten, das alte Tastentelefon mit roter Leuchtbirne, wie auch der Kleiderschrank mit Safe und himmelblauem Bügelbrett. Halbwegs modern sieht nur der Flachbildschirm aus.

Ein kleiner, schwarzer Kühlschrank steht einsam herum, könnte die Minibar sein, ist aber vollkommen leer. Die Stehlampe hat noch einen Plastikbezug. Ich weiß nicht warum, ein Rätsel, ein absolutes.

Drei gerahmte Bilder mit Malkunst hängen an den Wänden. Thematisch eng gehalten.

Gemälde mit Kakadu-Pärchen.

Gemälde mit Palme.

Gemälde mit noch einer Palme.

Das Palmen-Muster spiegelt sich auch auf dem Zweier-Sofa wieder, nur Disteln sind noch hinzugekommen. Schönheit, die im Auge des Betrachters liegt, spielt hier keine Rolle.

Die Aussicht ist nicht schlecht, ein bisschen Strip, der Stratosphere Tower und ein riesiger sich drehender, rot blinkender Damenschuh.

Die Honeywell Air Condition hat das Zimmer angenehm heruntergekühlt. Ich ziehe mich aus, gehe ins apricot-beige Bad aus einer mir unbekannten Epoche und steige unter die Dusche.

Wasser.

Lieblingselement. Immer schon. Reinheit, ja natürlich, und Leben, dauerndes, tropfendes, ewig wiederkehrendes.

Ich föhne die Haare kurz an, schmiere ein wenig Wachs hinein und begutachte im Spiegel meinen kleinen Bauchansatz. Mehr Training. Definitiv. Wird schwieriger mit den Jahren.

Auf dem Bett liegt schon das neue Hemd. Großartiger Service. Ich ziehe mich an, auch die klobigen Arbeiterstiefel, die ich immer zu meinen eng geschnittenen Anzügen trage und die nicht recht nach Vegas passen, zu dieser Hitze. Meine Sommergarderobe ist im Koffer. Hoffe, er kommt heute noch. Ich kremple die Hemdsärmel hoch und ziehe die Hosenträger an. Das Jackett lasse ich liegen.

Hunger.

Ich nehme den Aufzug und fahre wieder runter ins Casino. Ich muss unbedingt etwas essen.

Das hauseigene Restaurant ist gut besucht. Ich bekomme

einen Zweiertisch an der Wand. Zu meiner Überraschung gibt es einen vegetarischen Burger. Mit Pommes, bitte. Die Kellner hier sind alt, sie sind freundlich, kompetent, umsichtig und schnörkellos. Das Besteck wird eher hingeworfen als hingelegt. Dieses Unmissverständliche vermittelt Zuversicht, es wird schon alles gut, keine Sorge, soll es heißen, wir wissen, was wir tun. Das Ambiente ist ähnlich kompromisslos. Der Raum ist ein langes Rechteck, Oberlichter an der Decke simulieren Wartehallen-Atmosphäre, farblich ist das Etablissement in Ochsenblutrot gehalten, und sollte in einer hinteren Ecke der Küche eine mexikanische Zahnarztpraxis eingerichtet sein, so wäre ich nicht enttäuscht. Mehrere Bildschirme mit Keno-Zahlen und stummer Werbung sorgen für Ablenkung. Es läuft Radio El Cortez, ein hauseigener Sender mit 80er-Jahre-Musik, von Talk Talk bis Duran Duran. Für das jüngere Publikum.

Auf meinem katschigen Tisch hat jemand mit einem Messer den Spruch *Nobody is perfect* reingeritzt. Darunter steht eine emotional aufgeladene Replik: *Liar! I met Nobody and he is absolutely not perfect, he is a fuckin goof! And you can suck my dick, pussy!* Die Bedienung stellt den Teller ab und wünscht guten Appetit. Danke. Der Burger, die Pommes, das Salatblatt und die Zwiebelringe sehen bodenständig aus und schmecken auch so.

Während ich esse, beobachte ich, wie zwei Obdachlose die Toiletten aufsuchen, um sich ein wenig frisch zu machen oder zu erleichtern. Geduldet von der Security, kaum beachtet von den Gästen. Das *El Cortez* hat Whip erzählt, ist eines der wenigen Casinos, die sich ein soziales Gewissen leisten. Schuld daran ist Jackie, der langjährige und legendäre Casino-Besitzer, der nicht nur durch Härte und Geschäftssinn, sondern auch als Samariter von sich reden machte. Locals, die wenig Geld besaßen, ließ er nahezu umsonst essen. Und auch nach seinem Tod wurde diese Tradition augenscheinlich beibehalten. Einige der Gäste bezahlen mit Gutscheinen, dabei sehen sie keineswegs alle arm aus.

Seit ich dieses Casino betreten habe, irritiert mich das Publikum. Viele der alten Menschen hier sind ungewöhnlich, als Erscheinung, atypisch für ihre Generation. Man sieht Gram, aber auch Stil. Man sieht aufregende Geschichten in ihren Gesichtern, in ihrem Lachen, in ihrer Grimmigkeit, sieht den Schmerz oder die Leichtigkeit in ihrem Gang, die Freude oder die Gleichgültigkeit, noch auf Erden zu sein. Die Jüngeren sind trunken von Hedonismus. Sie wollen Spaß. Und den haben sie. Den Einsätzen auf den Spieltischen nach zu urteilen, fühlen sich auch Millionäre hier wohl. Und das hat einen Grund. Dieses Hotel hat etwas, das andere Hotels nicht haben: Atmosphäre. Und Charakter. Sehr viel Charakter. Eine Idee zu viel vielleicht, aber hey, nobody is perfect.

»Sonst noch einen Wunsch, Schätzchen?«, fragt die Bedienung und reißt mich aus meinen Gedanken.

»Nein, vielen Dank.«

Ich bezahle vorne an der Theke. Scheint hier üblich zu sein. Ich brauche frische Luft. Suche den nächstbesten Ausgang. Und werde erschlagen. Ich hatte sie schon fast vergessen. Die Sonne. In den Casinos sieht man das Wetter in Vegas nicht. Das ist Absicht. Ich strecke mich und gähne.

Noch nichts von Whip gehört. Keine Nachricht. Nichts. Aber das ist nicht ungewöhnlich, bei Whip ist nichts ungewöhnlich.

Ich schaue mich um. Auf der gegenüberliegenden Seite ist ein Café. Von weitem sieht es aus, als gebe es dort fair gehandelte Kaffeebohnen aus Guatemala, stark, würzig, vollmundig, hightec gebrüht, mit Zimt, Vanille und Karamell verfeinert, wer möchte.

Das Café heißt *The Beat*.

Warum nicht.

Es ist ein Hipster-Café. Eines dieser Cafés, die sich in jeder angesagten westlichen Großstadt am Rande der Ghettos ansiedeln, um die Eingeborenen zu gentrifizieren. Natürlich gibt es auch vegetarische und vegane Bagels, Sandwiches mit biologisch einwandfreier Avocadocreme, eine Ecke mit Schallplatten und nebenan Räume, in denen aufstrebende Künstler ihr Gemale ausstellen können. Ich bestelle einen Cappuccino. Es läuft *Donkey* von den Sleaford Mods. Klar. Das Publikum sieht aus wie gecastet. Stylomaten aus der Zukunft, Business-Damen mit Trendgespür, 14-jährige Gören in Skinny Jeans und Bärchenpullover, Rockstars aus der Retorte und all die anderen unvermeidbaren Pioniere, die Boys and Girls, die wissen, wo man abhängen muss.

Wieder ist da dieses Gefühl, verfolgt zu werden.

Merkwürdig.

Ich schaue aus dem Fenster.

Nichts Ungewöhnliches. Nur dieser rote Chevy Nova mit dem weißen Dach aus den Sechzigern oder Siebzigern, der gegenüber am Straßenrand parkt. Das zweite Mal, dass ich ihn sehe. Das Rot ist schon ausgeblichen, die Zierleisten fehlen und die seitliche Fahrerscheibe ist entweder runtergekurbelt oder eingeschlagen.

Ich sollte aufhören damit.

Tippe auf den Jetlag.

Macht mir wohl immer noch zu schaffen.

Die Müdigkeit schlägt ein. Es kommt mir vor, als wäre ich seit hundert Stunden schon auf den Beinen.

Schritte. Und der Geruch eines sportiven Parfums.

Eine Hand greift von hinten an meine Schulter.

»Und für mich einen Tropical Smoothie.«

Ich kenne diese Stimme, drehe mich um und muss lächeln. Freude.

Wir nehmen uns in den Arm. Fühlt sich gut an. Lange nicht gesehen.

»Könnte ein schöner Tag werden«, sagt Whip.

»Ja«, sage ich, »könnte es.«

Ich bezahle die Getränke. Whip nimmt zwei Stühle und gibt mir ein Zeichen, ihm nach draußen zu folgen. Er stellt die Stühle neben den kleinen verwaisten Tisch direkt vor dem Café.

Wir sind die Einzigen, die draußen sitzen.

Es soll hier in der Ecke trotz der Gentrifizierung immer wieder mal zu Schießereien kommen. Wahrscheinlich auch ein Grund, warum sonst niemand vor dem Café sitzt.

Wir schon.

Klar.

»Wie war deine Anreise?«, fragt Whip.

»Ungewöhnlich.«

»Der Job?«

»Erledigt.«

»Ich gebe dir morgen die neuesten Informationen zu den Gesuchten. Heute werden wir Spaß haben.«

»Klingt gut.«

Whip trägt enge Bluejeans, zerschlissene schwarze Chucks und ein weißes T-Shirt mit dem Aufdruck copy. Er ist dünn, aber nicht schlaksig, blass, aber nicht kränklich. Er hat schlechte Augen, trägt aber Kontaktlinsen, wenn er außer Haus ist. Seine Haare haben etwas Vogelnestiges. Auf den ersten Blick ist er nicht unbedingt als Programmiermeister zu erkennen, er könnte auch ein Jazz liebhabender Skater sein. Dabei schämt er sich nicht des Nerdseins, ganz im Gegenteil. Er möchte die Schublade nur ein Stück weiter aufmachen, das ist ihm irgendwie wichtig.

»Gut siehst du aus«, sage ich.

»Danke.«

»Irgendwie erholt.«

»Ja, in dieser Stadt komm ich endlich mal zur Ruhe.« Wir müssen beide lächeln.

Whip ist nicht in sich gekehrt, er redet viel und er redet gerne. Über alles Mögliche. Zu jeder Zeit. Dabei ist er ein professioneller Einzelgänger. Mit seiner Familie hat er nichts mehr zu tun. Dort habe sich jeder nur für sich selbst interessiert, er eingeschlossen. Freundschaften unterhält er nur virtuelle, soweit mir bekannt. Du bist mein Freundeskreis, hat er mal gesagt und dabei gelächelt. Auf der anderen Seite ist er extrem kommunikativ, er findet unglaublich schnell Anschluss, aber er lässt sich nie näher auf Menschen ein, und er neigt zu Beleidigungen, wenn ihm Dummheit begegnet. So etwas wie Schamgefühl besitzt er nicht. Er weiß gar nicht, was das ist, und wenn er mal über die Strenge schlägt, dann setzt er einen Blick auf wie diese kleinen Plüschtiere, die mit braunen Kulleraugen Hab-mich-lieb sagen, und dann ist es unmöglich, ihm das Genick zu brechen.

»Wie lange wirst du noch bleiben?«, frage ich.

»Noch einen Monat, dann geht's weiter nach Wellington. Ich glaube, Vegas ist eine der wenigen Städte, die ich wirklich vermissen werde.«

Whip spielt mit einem Schlüsselring, der wie von Geisterhand auf seinen Zeigefinger zusteuert.

»Neues Spielzeug?«

»Oh ja«, sagt Whip und versucht, die kindliche Aufregung in seiner Stimme zu unterdrücken. »Ich habe mir einen kleinen Magneten implantieren lassen. Macht irre Spaß, könnte ich stundenlang machen. Es gibt hier eine kleine, aber feine Grinder- und Cyborg-Szene. Dort habe ich auch Jarvis, einen Biopunk kennengelernt. Pionier der ersten Stunde. Cooler Typ. In seinen Ohren hat er Kopfhörer, in seinen Fingern Magnete, in den Handgelenken Leuchtdioden und im Unterarm ein Mini-Device implantiert.«

»Warum? Um Puls und Herzfrequenz zu messen?«

»Nicht nur. Er kann auch elektromagnetische Felder fühlen, Ultra- und Infraschall wahrnehmen, elektrische Türen mit einer Handbewegung öffnen oder Kaffeemaschinen mit einem Augenzwinkern anwerfen.«

»Und das möchtest du auch gerne können?«

»Na ja, das wird bald die Normalität sein. Und noch sehr viel mehr. Ich möchte in dieser Sache aber nicht zu den Pionieren zählen, das ist mir alles noch zu sehr Beta, zu improvisiert, und mein eigenes Blut kann ich auch nicht so gut sehen, da werde ich ohnmächtig. Die Optimierung aber wird rasant voranschreiten. Ein Chip, der Herzrate und Blutdruck misst, ist Kinderkram. Nervensysteme und elektrische Schaltkreise werden miteinander vernetzt, kognitive Fähigkeiten potenziert oder ganz neu implantiert. Kleine Roboter werden in uns nach dem Rechten sehen. Wir werden jede kleinste Veränderung und jeden Mangel in unserem Körper sofort registrieren. Kybernetik im Sinne von selbstregulierender Selbstoptimierung wird zur Totalüberwachung des Körpers führen. Sie wird völlig selbstverständlich. Und die damit einhergehende permanente Modifikation des Körpers wird Normalität.«

Wenn Whip mit seiner technologischen Zukunftssache einmal in Fahrt ist, ist er kaum zu stoppen. Zukunft ist alles, was ihn interessiert, Gegenwart findet er langweilig und Vergangenheit langatmig.

Ich nehme noch einen Schluck von diesem berauschenden Kaffee und tue ihm den Gefallen: »Du meinst die Symbiose aus Metall und Fleisch? Ich weiß nicht, ob ...«

»Als ich mit zwölf Jahren meine erste große Liebe im Alpha Quadranten gesehen habe, da wusste ich, wie die Menschen sich in Zukunft entwickeln würden. Ich konnte meinen Blick gar nicht von ihr abwenden, von Seven of Nine von Unimatrix 01. Sie war eine Borg, wie du weißt. Zumindest Teile von ihr. Sie konnte unfassbar sexy über Transwarpkanäle, Nanosonden und Spezies 8472 reden. Widerstand war zwecklos, irrelevant, dumm. Ich hätte alles dafür gegeben, ihr medizinisch-holographisches Notfallprogramm zu sein. Ich wusste sofort, dass sie die Zukunft ist.«

»Die Borg?«

»Nein, natürlich nicht. Aber ein Mischwesen. Vor hundert Jahren war ein Herz aus Kunststoff nur die Fantasie eines Irren. Normalität wird sich wie von jeher neu definieren. Wir werden uns nicht mehr nur schöner schneiden, wir werden uns Gelenke amputieren lassen, weil künstlich hergestellte oder biologisch reproduzierte besser sind, es wird nicht mehr darum gehen, ein körperliches Defizit zu beheben, der Körper als Ganzes wird als Defizit gesehen. Es geht um die Überwindung des Fleisches. Fleisch ist anfällig, es altert und nach 80 Jahren ist in der Regel Schluss. Angefangen hat die Restauration ja mit Schönheitsoperationen. Wer darüber die Nase rümpft, versteht den Impetus nicht. Biologisch gesehen ist es nichts Unnatürliches, es ist unser natürliches Bedürfnis, schöner, besser, klüger oder was auch immer zu sein. Es geht um Modifikation und letzten Endes um nichts Geringeres als um Evolution.«

Ich schaue auf den Boden, damit er mein Lächeln nicht sieht. Er glaubt fest daran, dass Mensch und Maschine sich einander anpassen und vereinigen werden. Roboterliebe. Bedingungslos. Und er hat natürlich Recht.

»Die Evolution«, sage ich, »ist zur Zeit ganz hübsch in Liverpool zu erleben, in der ehemaligen Arbeiterstadt, die jetzt Beauty-Hochburg ist. Frauen wollen dort aussehen wie eine Spielerfrau, die ihre Friseur-Lehre nicht geschafft hat, weil der theoretische Teil zu anspruchsvoll war. Die Männer möchten Barbies Ken sein.«

»Na ja, das ist ein ästhetisches und ein soziologisches Problem. Nicht meine Baustelle. Mich interessiert, was, wie und wann man etwas machen kann.«

»Du redest aber nur von der Optimierung des Körpers, und nicht von der des Intellekts. Großes Problem. Oder wie Onkel Seamus sagen würde: Vor zweitausend Jahren waren die Griechen nur Philosophen, heute sind sie schon Gyros-Verkäufer.«

»Ja, schon klar, das alte Dilemma, der Mensch entwickelt sich nur technologisch. Ein Taliban hätte auch schon vor 2000 Jahren leben können, ein Tea-Party-Freak, ein Neonazi auch, also intellektuell. Und in meiner Generation geht es nur noch darum, gut gewaxt zu sein. Aber zur Ehrenrettung muss man ja auch sagen: Wie will sich der Mensch denn weiterentwickeln? Ständig wird er neu geboren und fängt bei null an. Er wächst mittlerweile mit dem Wissen auf, dass die Erde keine Scheibe ist, und er kann ein Smartphone bedienen. Aber das ist nur Wissen, das ihm beigebracht wird. In all der Zeit ist er nicht klüger, nicht kreativer, nicht einmal lustiger geworden, denn sonst wäre er mittlerweile ein Gott und von uns genauso weit entfernt wie wir von einer Küchenschabe. Stell dir nur vor, ein Computer oder ein Roboter würde jedes Mal bei null anfangen, immer mit dem ungefähr gleichen Gehäuse, und man müsste ihn 18 Jahre lang füttern, damit er auch nur annähernd das kann, was Generationen vor ihm mit 18 schon konnten. Katastrophe. Und ich verwechsle einen Algorithmus nicht mit künstlicher Intelligenz, ich weiß, dass Intelligenz auch etwas mit Willen, Kreativität und Bewusstsein zu tun hat. Aber es wird passieren. Alles wird passieren. Science-Fiction ist im Grunde schon Vergangenheit. Und genau deswegen ist es überlebenswichtig, uns mit Hilfe von Biologie und Technik neu zu erfinden, upzudaten, aufzurüsten, wenn du so magst, denn wenn die Singularität erst mal ihr vollständiges Potenzial entfaltet, die Maschinen also unabhängig von den Menschen lernen, dann wird es sehr, sehr eng mit der Vormachtstellung. Letzten Endes gehe ich aber von der Unsterblichkeit aus.«

»Unsterblich, der Mensch, aha. Und was wird dann aus der Dystopie?«

»Na ja, hängt davon ab, was wir unter Dystopie verstehen. Wenn wir darunter das Verschwinden der Menschheit verstehen, dann ist es natürlich unausweichlich, von einer Dystopie zu sprechen, genauso wie wir ja unausweichlich davon ausgehen müssen, dass der Mensch der Evolution unterworfen ist, also untergehen muss. Das ist ja keine Frage von Ja, Nein oder Vielleicht. Es wird passieren. Die Frage ist nur, wann und wie. Ich glaube allerdings nicht an den großen Knall, die Apokalypse, ich glaube an ein ganz langsames Weggleiten, ein Auflösen, daran, dass es einfach keine Notwendigkeit mehr für den Menschen geben wird.«

»Ich dachte, der Mensch wird unsterblich.«

»Ja, schon, aber das, was einen Menschen ausmacht, im herkömmlichen Sinne, das wird aussterben. Der Mensch als Defizit. Wir werden nicht nur Krankheiten eliminieren, sondern auch Dummheit. Wir werden die Macht dazu haben und wir werden sie nutzen. Darwin halt. Und mit Unsterblichkeit meine ich nicht Kryonik. Ich glaube nicht an die Konservierung eines Menschen mit einem Frostschutzmittel. Es geht darum, das, was im Gehirn an Informationen vorhanden ist, zu extrahieren, um es zu überspielen, auf neue Wirte. Und ich weiß, wie das klingt, es wird nicht einfach sein, aber es ist logisch, als Weg und als Ziel, wie es auch logisch ist, dass die Vernetzung und Entindividualisierung noch zunehmen wird, so weit, dass wir alle eins werden, ein Geschöpf aus Milliarden kleiner Geschöpfe, wir werden wie Blutkörperchen sein!«

Ich schaue Whip lange in die Augen.

Aber er setzt nur sein Huckleberry-Finn-Lächeln auf, das er nach Belieben an- und ausknipsen kann, und das es einem schwer macht, zu erkennen, was er denkt, was er wie gemeint hat.

»Und, mein Blutkörperchen«, frage ich, »was machen wir jetzt, wo geht's heute noch hin?«

»Überraschung!«

»Oh, wie schön.« Ich fürchte Schlimmes. Denn Überraschungen enden bei Whip nicht selten im Chaos.

»Wir müssen dafür nach Sam's Town fahren. Nicht weit von hier.«

»Na dann, lass uns gehen. Hast du einen Mietwagen?«

»Ich habe einen Chauffeur!«

»Einen Chauffeur?«

»Ja, Archie, müsste gleich da sein. Ich zahl ihm 20 Dollar pro Tag und er fährt mich durch Vegas, wohin ich will, zu jeder Zeit.«

»Nur dich?«

»Nein, vier andere auch noch. Man muss ihn eine halbe Stunde vorher anrufen, dann kommt er vorbei. Einmal war er fast pünktlich. Man bezahlt ihn nicht so sehr fürs Fahren, sondern für die Informationen. Archie weiß alles. Alles, was in dieser Stadt abgeht. Und er kennt jeden. Cooler Typ.«

»Ah«, sage ich.

Wir schauen gelangweilt, wie coole Typen das so machen,

auf die Straße, auf die Menschen, die vorbeigehen, zur Arbeit, zu ihren Dates, zu ihren Spielautomaten. Eine große Schau. Nicht nur die Landschaft, auch die Menschen sind hier intensiver. Dünner, dicker, dümmer, klüger, schöner, hässlicher. Eine große Wundertüte. Ich könnte stundenlang zuschauen, wie sie an mir vorbeiziehen, diese Körper und Gesichter, so fremd und so nah. Es ist wie Kino. Nur interessanter. Ein Mann von wenig Schönheit trägt ein verlottertes Brautkleid, er schwebt über den Bürgersteig in Richtung Freemont Street, ein Mexikaner, weißes Unterhemd und Baggy Pants, spricht beim Gehen unaufhörlich mit sich selbst und gestikuliert wild in Richtung Himmel, eine junge Mutter, Typ Model, schreit ihr vierjähriges Kind an, es soll verdammt noch mal nicht so schreien.

Der Kaffee ist stark, der Himmel blau, und wenn ich könnte, würde ich den Rest meiner Zeit einfach hier sitzen bleiben.

Gegenüber parkt ein goldlackierter Siebziger-Jahre-Dodge-Charger ein. Schon von weitem kann man erkennen, dass die besten Jahre weit hinter ihm liegen. Rostig, dreckig, laut. Der Fahrer steigt aus. Sehr dünn, keine 60 Kilo, fettige, halblange Haare. Er trägt einen natogrünen Armeeparker mit Fellkapuze. Trotz der Hitze. In seiner linken Hand qualmt eine Filterzigarette, eine weitere klemmt hinter seinem rechten Ohr. Knapp 50 dürfte er sein, oder arg verlebt, Typ: White Trash. Auf jeden Fall niemand, den man unbedingt kennenlernen möchte.

Er geht in Richtung Café.

Eigentlich passt er nicht so recht zur Zielgruppe. Er sieht aus, als seien seine Eltern Jello Biafra und Vanilla Ice.

Er geht auch nicht ins Café.

Er bleibt vor Whip stehen.

Whip steht auf, und ich überlege, ob ich dazwischengehen muss. Doch dann passiert etwas Merkwürdiges. Sie lächeln, klatschen ab und klopfen sich kurz auf die Schulter, so wie Männer das machen.

»Darf ich vorstellen«, sagt Whip, »das ist Archie, mein Fahrer. Archie, das hier ist Billy, ich hab dir von ihm erzählt.«

Archie lächelt. Seine Zähne sind karamellfarben: »Hey Bruder, was geht. Ghettofaust.« Er hält mir seine kümmerliche Faust hin und ich vollziehe das peinliche Begrüßungsritual.

»Los, schnell ins Auto, ich hasse den Winter in Vegas, scheiße kalt«, sagt Archie.

Es ist Frühling.

Und es sind 35 Grad.

Mindestens.

Ich schaue Whip fragend an. Der zuckt nur mit den Schultern. Wir schmeißen unsere Becher in den Mülleimer und folgen Archie zum Auto.

Der Chauffeur bemerkt meinen misstrauischen Blick bezüglich seines Gefährts.

»Für mich ist es ein 64er Shelby Daytona, es kommt nur auf die Fantasie an, Bruder, nur auf die Fantasie, ist alles, was zählt«, sagt Archie und zeigt auf seinen Mülleimer, den goldlackierten Dodge Charger. Aus der Nähe betrachtet sieht er noch heruntergekommener aus. Die Roststellen sind teilweise tellergroß und die Dellen könnten von einem Panzer stammen.

Als Archie formvollendet die Tür öffnet, schlägt mir der Gestank von Nikotin, Schweiß und altem Erbrochenen entgegen. Zu allem Überfluss hat jemand versucht, das Ganze mit Patschuli zu übertünchen. Warum können wir nicht einfach ein Taxi nehmen? Denke ich.

Mir wird leicht schwindelig.

Whip und ich steigen hinten ein. Auf meinem Platz liegt ein Sahnespender, was ich nicht verstehe. Ich schiebe ihn beiseite. Als ich mich setze, sinken meine Füße ein. Ich schaue hinunter. Der ganze Boden ist voller kleiner, silberner Kapseln. Es müssen hunderte sein. Vielleicht sogar tausende.

»Was ist das?«, frage ich Whip.

»Das sind Kapseln.«

»Das sehe ich. Wofür?«

»Für die Schlagsahne.«

»Ich verstehe nicht.«

»Hippie-Crack.«

»Bitte?«

»Na ja, Lachgas eben.«

»Hey Archie«, fragt Whip nach vorne, »wie viele Kapseln nimmst du so am Tag.«

»Ich war mal auf 80. Mein Bruder Murph ist Nachtwächter bei Killroy & Sons, Premium-Hersteller und Eins-A-Connection. Habe aber an mir gearbeitet. Meiner Missy zuliebe, meiner Braut. Bin jetzt auf 50. Ich will nicht sagen, dass es leicht ist, wahrlich nicht, der Herr ist mein Zeuge, aber was tut man nicht alles für seine Angebetete. Große Liebe, ist ja nicht immer einfach mit mir, einen Monat, dann ist es vorbei, schlussikato, und seitdem Frauen aussehen wollen wie Plastikspielzeug, fuck, Zeiten sind das, aber nicht so meine Lady, ist 'n heißer Feger, zweihundert Pfund reinster Sex, sind seit fast drei Monaten ein Paar, unzertrennlich, seit wir uns in Pahrump das erste Mal begegnet sind, und eine Röhre ist sie auch, meine Lady, hammer Sängerin, HipHop-Gospel, hat 'ne eigene Band, Missy Ganja and the Gobbledygooks, bläst euch weg, meine kleine Schokomaus, bläst euch weg, ich denke sogar ernsthaft darüber nach, eine Lebensversicherung ...«

»Zu viele Informationen. Lass uns einen Abflug machen, Arch«, sagt Whip.

»Geht klar, mein Freund. Nur noch eine kleine Inspiration. Reich mir bitte mal den Sahnespender rüber, Willie.«

»Billy.«

Ich gebe ihm den schmutzigen Spender und kann im Rückspiegel beobachten, wie er ihn mit einer der Kapseln füllt. Dann stülpt er einen Luftballon über die vordere Öffnung und schießt das Lachgas hinein. Er nimmt den Ballon in seinen Mund, atmet drei tiefe Züge lang ein und aus.

Er lächelt.

Debil.

Zehn Sekunden lang. Dann kommt wieder Bewegung ins Spiel. Er zieht einen Kamm aus seiner Jackentasche und eine Tube Pomade, von der er sich großzügig bedient, mit ein wenig Spucke in seinen Haaren verteilt und diese nach hinten kämmt. Es sieht nicht wirklich besser aus. Er wühlt in einem Pappkarton auf dem Beifahrersitz und holt eine Kassette heraus. Den Bandsalat behebt er professionell mit seinem rechten Zeigefinger. Es ist das erste Mal seit über zehn Jahren, dass ich eine Kassette sehe, und ich habe nicht gedacht, dass ich jemals wieder eine sehen würde. Er steckt sie in den eingebauten Kassettenrekorder über dem hoffnungslos überladenen Aschenbecher und dreht den Lautstärkeregler hoch. Es erklingt: *You're The One That I Want* von Olivia Newton-John und Vincent Vega. »Kann losgehen«, sagt er.

Ich bin nicht sicher, ob das eine Drohung war.

Gehe aber davon aus.

»Archie?«, fragt Whip. »Können wir über den Strip zu Sam's Town fahren?«

»Wäre ein Umweg.«

»Für Billy, damit er ihn wenigstens einmal sieht, Touri-Runde, und zur Einstimmung vorher noch über die Foremaster und den Boulevard von Mr. Martin Luther King.«

»Geht klar. Brauche aber eure Ein-Dollar-Scheine.«

Wir geben sie ihm, ohne weiter nachzufragen.

»Captain speaking: Fasten your seat belts.«

Noch bevor ich merke, dass es im hinteren Bereich gar keine Gurte gibt, klebt mein Gesicht schon an der Scheibe. Archie macht eine scharfe Rechtskurve, die Reifen quietschen, wir scheppern vorwärts, nicht unbemerkt, nicht rücksichtsvoll, nur standesgemäß, klar.

Der Motor klingt wie ein Zementmischer, in dem Backsteine rotieren.

Ich fühle mich nicht so gut.

Alles in mir sagt: Aussteigen. Raus hier, bevor es zu spät ist. Aber das ist es schon längst. Warum nur ist es so oft zu spät für irgendetwas?

Ich setze mich wieder in eine halbwegs würdige Position und umklammere mit meiner linken Hand den Haltegriff, wohl wissend, wie albern das ist.

Meine Befürchtungen aber sind unbegründet. Archie fährt weder vorstellbar noch unvorstellbar Auto. Er scheint zu glauben, er lenke einen Öltanker. Sein Motto ist: Die sehen mich doch. Und das bedeutet für Archie, dass er die anderen nicht sehen muss, dass er sich beim Fahren auf Wichtigeres konzentrieren kann, darauf, Kaugummis zu suchen, Bunnys hinterherzupfeifen, Luftschlagzeug zu spielen oder einfach nur die Augen zu schließen und das Leben zu genießen.

Es geht gut.

Irgendwie.

Irgendwie scheinen alle anderen Verkehrsteilnehmer instinktiv den goldlackierten Dodge für das zu halten, was er ist: eine Bedrohung aus dem Weltall.

Whip erzählt etwas über die hyperbolische Geometrie in Zeiten der Romantik, ich verstehe nur Bruchstücke, schalte schließlich ganz ab und schaue aus dem Fenster.

Das vielleicht einzig Schöne am passiven Autofahren. Das

Aus-dem-Fenster-schauen. Das Kennenlernen. Auch wenn's holpert.

Vegas ist eine dieser großspurigen Städte voller Brüche und Ungereimtheiten. Eine Stadt, die Trug und Gier ganz offen feiert, die eigentlich nur kopiert und doch oder gerade deshalb so merkwürdig eigenartig ist. Alles macht Blingbling, der Lärm ist orchestral und immerzu gibt es etwas Neues, Helleres, Fantastischeres zu bestaunen.

Eigentlich.

Die Gegend aber, in die Archie uns bringt, sieht so gar nicht nach Blingbling aus. Sozialer Wohnungsbau vielleicht. Schwer zu sagen.

Wir fahren unter eine Brücke. Und müssen halten. Es ist Rot. Überall Autos. Die Abgase stauen sich, der Beton flimmert, kein schöner Ort.

Aber ... etwas stimmt nicht.

Ein Gefühl, ein komisches.

Schatten.

Und dann sehe ich sie. Die Köpfe. Die zwischen den Pfeilern hervorlugen. Langsame Bewegungen, nicht bedrohlich, nur träge. Hier leben Menschen. Warum? Warum hier? Gegenüber ist eine Tankstelle, die *Terrible's* heißt. Ernsthaft? Ja, sie sieht äußerst ernsthaft aus, kein Zweifel. An der Kreuzung patrouillieren zwei Obdachlose ihr Terrain ab und halten Pappschilder in die Höhe. Veteranen sind sie, so steht es geschrieben, in ungewöhnlich schöner Handschrift. Wir biegen nach rechts ab und sehen, wie ein nach vorne gebeugter Mann einen mit Decken, Kartons und Tüten bepackten Einkaufswagen vor sich her schiebt. Alles, was nicht mehr in den Einkaufswagen passt, trägt er am Leib. Jacken, Mützen und auch Hosen, mehrfach übereinandergeschichtet, unförmig, schwerfällig. Er wird nicht erfrieren. Nicht bei 35 Grad im Schatten.

Massiv sieht er aus, eine Gestalt von großer Wucht, die ihr Hab und Gut zu verteidigen versteht. Wer aber will es ihr streitig machen?

Vom Martin Luther King Boulevard fahren wir auf die Owens Avenue und biegen in die Foremaster Lane ein.

Archie fährt jetzt langsamer, Schrittgeschwindigkeit.

Sein linker Arm hängt locker über der runtergedrehten Scheibe. Ab und an winkt er lässig jemandem zu. Hier und da verteilt er die Ein-Dollar-Scheine. Ohne anzuhalten.

Auf seiner Mix-Kassette läuft *You Sexy Thing* von Hot Chocolate.

Ich könnte mir keinen unpassenderen Song vorstellen.

Für diese Straße.

*Traurig* oder *Oh* passt, vielleicht noch *Ups*, nicht aber *sexy*, nicht einmal ansatzweise.

Jede große Stadt hat ihre Obdachlosen, die eine hat mehr, die andere weniger. Aber selten habe ich Ecken und Gegenden von solcher Konzentration gesehen. Die Foremaster scheint ein beliebter Treffpunkt zu sein, ein Ort, an dem die Hoffnung ganz sicher nicht zuletzt stirbt. Touristen gibt es hier keine. Einheimische fahren hier nur durch, wenn sie unbedingt müssen, ahnend, dass es jederzeit sie selbst treffen kann, dass die unbegrenzten Möglichkeiten in alle Richtungen laufen. Niemand möchte auf dieser Straße landen, niemand. Manche sehen gar nicht aus wie Obdachlose, okayer Haarschnitt, ordentliche Jeans, Hard-Rock-Café-T-Shirt. Nur ihr Blick und die Art und Weise, wie sie ihren Kaffeebecher halten, verraten ihr Ungemach. Die meisten sitzen am oder auf dem Bürgersteig. Nur wenige stehen. Ein paar können anscheinend weder stehen noch sitzen, sie liegen, nah an der Wand, als könnte die sie beschützen, vor was auch immer. Sie sind die traurigsten, die für ewig Verlorenen. Ihre Kleidung ist steif vor Dreck, dunkelgrün, grau, braun, sie passt sich der Umgebung an, dem Tristen, dem Unscheinbaren, dem Vergessenen.

Ein Ponyhof ist weit und breit nicht zu sehen.

Dafür aber ein Friedhof.

Direkt gegenüber.

Am Ende der Straße sitzt eine ältere, schwarze Frau auf dem Bürgersteig. Im Schneidersitz. Sie trägt einen abgewetzten braunen Herrenanzug und ein fleckiges weißes Hemd. Die Winterstiefel hat sie ausgezogen. Ihre roten Socken haben Löcher, so große, dass die dicken Zehen in frischer Luft hin und her wackeln. Ihr Oberkörper wippt leicht vor und zurück und immerzu wirft sie Konfetti in die Höhe, kunterbunte Schnipsel, die in ihrem Schoß oder in ihren Haaren landen. Als wir auf gleicher Höhe sind, starrt sie mich mit ihren großen, braunen Augen an, und dann sagt sie etwas, ich kann es nicht hören, aber ich kann es lesen, von ihren Lippen: Hier fängt die Unendlichkeit an. Dabei lächelt sie. Mit offenem Mund. Mit fehlenden Zähnen. Oben links, unten rechts. Hallo.

Archie erzählt, dass sie auch in Tunneln leben, dass es Initiativen gibt, um zu helfen, dass die Meinungen zwiegespalten sind, dass die Einheimischen Mitleid und Verachtung, Nahrung und Schläge spenden, dass nicht selten einer von ihnen totgeprügelt oder abgestochen wird, kleine Auseinandersetzungen halt, auch untereinander, aus Angst, aus Wut, aus Spaß, aus was auch immer. Ich versuche, mich zu konzentrieren, versuche, diese Bilder zu behalten, für immer, weil sie vom Ende erzählen, von einer Möglichkeit, und wäre ich ein Barockmaler, würde ich jetzt mit Öl panschen, plastisch, figural, apokalyptisch, aber ich bin nur ein Tourist, ein digitaler, knips.

Wir fahren weiter. Immer weiter. Und ich nehme die Veränderungen erst kaum wahr, weil meine Gedanken wieder abschweifen und die Umwelt nur schemenhafte Bilder sind, die kommen und gehen und kommen und gehen. Nur langsam gewöhne ich mich an die kleinen Wedding Chapels, die Pfandleihen, die *largest* Gift Shops, Tattoo-, Vintage- und Porno-Läden, die das Straßenbild prägen. Als wir *Tiffany's Cafe* passieren, muss ich an Tante Livi denken, die so gerne in den späten Fünfzigern lebte, ihrer Zeit, wie sie sagte. Vereinzelt streunen Passanten umher, manche zwielichtig, manche unscheinbar, nie jedoch hektisch, eher gelangweilt, als käme der Bus erst in zehn Minuten oder der Weltuntergang, was, ihren Mienen nach zu urteilen, ungefähr aufs Gleiche hinauslaufen würde. Doch kaum nimmt die Straßen- und Palmendichte zu, werden aus günstigen Motels wolkenkratzende Paläste, Orte des reinen, grenzenlosen Vergnügens. Aus vereinzelten Fußgängern werden erst hunderte, dann tausende. Immer dichter gedrängt wandern sie den Strip hoch und runter, wie eine Horde Wiederkäuer auf der Suche nach dem besten Gras. Schön sind sie anzuschauen, die Muskelmänner in Shorts und T-Shirt, die Bachelorettes mit Forever-21-Tüten, die sonnenverbrannten Margarita-Singles und die übergewichtigen Familienväter. Eine Überdosis. Zweifelsohne. Aber eine unterhaltsame. Im Vorbeifahren. Im Wegblättern. Im Nie-wieder-Sehen.

Wir kommen nur mühsam vorwärts, dabei ist die Straße mittlerweile siebenspurig. In Fahrtrichtung. Alles drängt auf den Strip. Als sei er die einzige und wahre Hoffnung auf ein wenig Würde, als habe die Zivilisation hier ihr letztes Stelldichein. Den Spaß lassen wir uns nicht verderben, möge um uns herum auch alles im Chaos versinken. Archie erzählt, dass niemand, der bei Verstand sei, etwas gegen die Touristen habe, ganz im Gegenteil, sie seien schließlich das Lebenselixier der Stadt, ohne sie wäre Vegas nur ein stinkender Abfallhaufen in der Wüste. Er sagt aber auch, dass man das echte Vegas in Disneyland nicht finden wird.

An einer Kreuzung müssen wir halten. Rot. Ein dünner, mittelalter Mann in einem Superman-Kostüm klopft an die Scheibe. Whip kurbelt sie runter.

»Hallo«, sagt Superman, »möchten Sie vielleicht ein Aufmerksamkeitsdefizitsyndrom kaufen?«

Whip ist sofort hell begeistert und drückt dem Mann seinen letzten Ein-Dollar-Schein in die Hand.

Deal.

Er bekommt dafür einen dance move aus *Saturday Night Fever*.

Allgemeine Freude.

Die Ampel springt auf Grün. Wir winken zum Abschied.

Fahrende Werbetafeln scheren kreuz und quer, Großbuchstaben künden von Sensationen, von den größten, besten und einzigartigsten Shows überhaupt. Sie versprechen das noch nie Dagewesene, das Unbeschreibbare, das Vergissmeinnicht. Die Helden stehen bereit: Gelliftete Illusionisten, Rockstars in ihren Siebzigern und sich totlachende Komödianten. Alle haben sie blitzblanke, weiße Zähne. Ihr Lächeln wirkt wie gemalt und ein klein wenig unheimlich.

Wir passieren Cäsars Palast und Venedig und den Eiffelturm und sind ganz hingerissen von den Wasserfontänen des Bellagio, die zu *Singing In The Rain* in schwindelerregende Höhen schießen, fahren von Monte Carlo nach New York und lassen sogar eine Pyramide samt Sphinx hinter uns. Eine halbe Weltreise auf nicht einmal sieben Meilen. Die Amerikaner können nicht nur größer, sie können auch kleiner. Und ich verstehe ein wenig mehr die Faszination dieser Stadt, die man wohl nur verachten oder lieben kann. Vegas ist die Hauptstadt der Kopie und zugleich eine der individuellsten Städte überhaupt. Denn im Gegensatz zu den anderen Zentren dieser Welt, die sich immer mehr gleichen, kenne ich nichts Vergleichbares, nichts, das diese Glitzermetropole in der Wüste spiegelt.

»Und«, fragt Whip, »schön?«

»Ja«, sage ich, »ganz bezaubernd. Dieses bunte Chaos. Müssen viele Verrückte hier leben und Kreative und so.«

»Na ja, allzu viele Berühmtheiten hat Vegas nicht gerade hervorgebracht, ein Tennisspieler fällt mir ein ...«

»Jenna Jameson. Hallo?«, mischt Archie sich ein.

»Wer?«

»WAS?«

»Bitte?«

»Ihr wisst nicht, wer Jenna Jameson ist?«

»Na ja ...«

»Dann wisst ihr bestimmt auch nicht, wer Missy Monroe und Faye Reagan sind, oder?«

»Ehrlich gesagt ...«

»Porno, Brüder, Porno. Ich bin schockiert. In was für einem Universum lebt ihr? Das sind Spitzenaktricen, auf der ganzen Welt geliebt.«

»Ah.«

»Und warum wollt ihr unbedingt zum Bingo? Ihr seid irgendwie schräg. Ich könnte euch nach Pahrump fahren, zur Chicken Ranch, und dann könntet ihr euch von Lady Madonna mal so richtig die Socken ausziehen lassen.«

»Archie«, sagt Whip, »fahr uns einfach.«

»Du bist der Boss.«

Bingo? Ich starre Whip an. Doch der legt nur sein plüschiges Hab-mich-lieb-Gesicht auf, dieses: Ich weiß nicht, wovon der redet, ich habe nichts damit zu tun, ich bin unschuldig, können diese Augen lügen, nein.

Bingo.

Toll.

Wir machen ein U-Turn und biegen in die Tropicana ab. Genauso schnell wie die Wolkenkratzer kommen, sind sie auch wieder weg. Nach wenigen hundert Metern ist vom Glitzer-Glamour nichts mehr zu sehen. Die Bauten nehmen wieder diese typische flache und unscheinbare Gestalt an, kleine konturlose Shopping-Zentren, um die *heißesten* Schnäppchen zu ergattern, die Nägel *hübsch* machen zu lassen und die *schärfsten* Tacos der Stadt zu kaufen. Für jeden ist etwas dabei, Dunkin Donut, KFC, Jack in the box, 7-Eleven, Walgreens, alle Ketten, alles Lebenswichtige, für die ganze Familie und auch für den Draufgänger, der bei Rebel Gas noch auftanken kann, bevor er dem Sonnenuntergang entgegenfährt.

»So, Ladys, wir sind da«, sagt Archie.

Ich schaue auf den großen Parkplatz. Dann auf Sam's Town. Die Bee Gees singen *How Deep is Your Love*. Das Band leiert. Der Motor würgt.

Kann nur ein Irrtum sein. Archie hat sich verfahren. Bestimmt.

**14** Als Onkel Seamus mir das erste Mal von dem Familienunternehmen erzählte, war ich 19 Jahre alt. Es war ein milder Abend im Herbst, als er mich nach einem Fußballspiel beiseitenahm. Wir hatten uns *The Bhoys* gegen die Rangers in Ewans Pub angeschaut. Onkel Seamus ist Celtic-Fan, von klein auf, seine irischen Wurzeln, er kann nicht anders. Das Spiel war schlimm. Es war keine Niederlage, es war eine Demütigung, 1 : 5, trotz Henrik Larsson. Wir gingen runter zum See. Die Sonne war noch wach, in ihren letzten Zügen, ein Rest Wärme, den sie spendete. Onkel Seamus hatte sechs Flaschen Black Sheep dabei. Eigentlich nicht seine Marke. Ewan hatte sie ihm mitgegeben, keine Ahnung warum, er verkauft eigentlich kein Bier aus Yorkshire. Wir setzten uns auf einen Baumstamm, einen wurzellosen, der waagerecht vor sich hin rottete und dem ein Blitzschlag oder Windsturm übel mitgespielt haben musste. Wir machten *Zisch* und tranken, ohne betrunken zu werden. Onkel Seamus erzählte. Ich hörte zu.

Als er mit den Worten »das Leben ist eine Kirmes« geendet hatte, schloss ich für einen kurzen Moment die Augen, dann schaute ich wieder über den See hinüber und versuchte, die Bäume am gegenüberliegenden Ufer zu erkennen. Die Dämmerung setzte ein.

Ich war nicht schockiert. Ich war neugierig. Und fasziniert. Es klang so irreal wie eine Abenteuergeschichte, eine Räuberpistole, eine durch und durch fantastische, schmerzhafte und irrlichternde Welt. Vom Doktor und dem lieben Vieh weit und breit keine Spur. Aber es war kein Utopia, es war real. Onkel Seamus hatte nicht ein einziges Mal gelächelt, nicht ein einziges Mal die stoische Miene abgelegt. Mit jeder Faser seines Körpers signalisierte er Todernstigkeit. Und das war ungewöhnlich. Und er fragte mich, ob ich mir vorstellen könne, Teil des Familienunternehmens zu sein. Nicht einen Jota weniger würde er mich lieben, sagte er, fiele meine Entscheidung negativ aus. Ich sollte mir Zeit lassen für die Antwort, sehr viel Zeit. Alles andere wäre fahrlässig. Es ging ja nicht um einen Gemischtwarenhandel, um eine Mitarbeit in der Registration, diese Familie war eine andere, das war sie immer schon. Frankie war – wie ich erfuhr – seit drei Jahren mit dabei, da hatte ich zum ersten Mal diesen merkwürdigen Ausdruck in seinem

Gesicht entdeckt, in diesem flüchtigen Moment, zurückgezogener, kälter war er, dieser Ausdruck, und manchmal, wenn Frankie sich unbeobachtet fühlt, dann zeigt er ihn auch heute noch.

Ein halbes Jahr habe ich für meine Antwort gebraucht. Ein halbes Jahr, in dem ich unentwegt nachgedacht habe, über Sinn und Sinnlichkeit, Erniedrigte und Beleidigte, Sein und Zeit. Denn plötzlich war alles so bedeutungsschwer, da konnte ich doch nicht anders, da musste ich mitbedeuten. Ich war noch jung. Und ich stellte mir Fragen, immerzu neue, immerzu komischere: Wenn Wahnsinn Unschuld ist, was ist dann Schuld in einer Welt des Wahnsinns? Was bedeuten Konsequenzen, wenn es über den Tod hinaus keine mehr gibt? Kann ich solche Dinge wirklich tun, und wenn ja, wer bin ich dann?

Ich war glücklich in dieser Familie, immer gewesen, ich war ein Teil davon und ich wollte ein Teil davon bleiben. Ich konnte mir gar keine bessere Familie vorstellen. Über einen Beruf hatte ich ernsthaft nie wirklich nachgedacht. Als Kind mochte ich mir gerne vorstellen, eines Tages der unglaubliche Hulk zu werden, verwarf jedoch die Idee, als sich beim besten Willen keine Superkräfte einstellen wollten, ich nicht einmal grün wurde. Ich hatte gerade erst angefangen zu studieren. Und ich wusste nach wie vor nicht, was ich einmal werden wollte. Ich dachte, ich werde immer nur und dass es doch reichen müsste, das Werden, dass irgendetwas schon dabei herauskäme.

Vielleicht wusste ich, dass sie anders geworden wäre, unsere Beziehung, die Bindung an die Familie, wenn ich nicht mitgemacht hätte, wenn ich eine Karriere in einem Telekommunikationsunternehmen angestrebt hätte, Rentenkasse, Urlaubsgeld, Feierabend und am Wochenende mal zum Spiel oder doch lieber Fernsehen. Trotzdem war es keine Entscheidung aus

Angst, etwas zu verlieren. Ich habe mich bewusst so entschieden, ich wollte es so, trotz all der Bedenken, der Ungewissheiten, der Ängste und der Stürme, die allenthalben tobten.

Als ich Onkel Seamus meine Entscheidung mitteilte, war von Freude keine Spur zu erkennen, es war mehr ein So-soll-es-Sein. Ich weiß noch genau, wie er im Hof stand, die dampfende Kaffeetasse mit beiden Händen hielt, einmal tief Luft holte und traurig in die Ferne sah. Er nickte ernst, sagte aber kein einziges Wort. Es schien mehr so, als wolle er sich entschuldigen, als täte es ihm leid. Und dann folgte dieser merkwürdige, kurze Moment, in dem plötzlich alles still war, kein Zwitschern, kein Gackern, kein Bellen und auch kein Klappern, nur der Wind, der leise über das Gras wuschte und eine Gänsehaut auf schutzlosen Unterarmen hinterließ. Onkel Seamus legte seine rechte Hand auf meine linke Schulter, streifte kurz meine Wange und ging wieder ins Haus.

Ich war dabei.

Seit jenem Tag.

Und ich war nicht der Letzte.

Die Firma besteht nur aus Familienmitgliedern. Jeder hat seine Aufgabe. Onkel Seamus ist der Präsident, Polly ist für Recherche und Planung zuständig, Frankie und ich kümmern uns um die Exekutive. Wir entscheiden gemeinsam und einstimmig, welchen Auftrag wir annehmen. Wenn wir uns nicht 100 Prozent sicher sind oder auch nur der geringste Einwand besteht, lehnen wir ab. Niemand außerhalb der Familie ist involviert. Niemand.

Mit Ausnahme von Whip.

Als er uns gefunden und kontaktiert hatte, dachten wir zuerst, er wolle uns erpressen. Aber dem war nicht so. Ganz und gar nicht. Er wollte dabei sein. Unbedingt.

Anfangs konnte ich Whip nicht richtig einordnen. Er war

so ... anders. Es hat etwas gedauert, bis wir uns verstanden haben, nicht im Sinne von *mögen*, sondern von *verstehen*. Gemocht habe ich ihn von Anfang an, verstanden nicht. Unser erstes längeres Gespräch lief wie folgt:

»Habe mir einen Zero Fog Blaster gekauft. Damit kann ich Nebelringe von 25 Zentimeter Durchmaß abschießen.«

»Warum?«

»Was?«

»Warum hast du ihn gekauft?«

»Weil ich damit Nebelringe von 25 Zentimeter Durchmaß abschießen kann?«

»Ah.«

Ich war immer schon ein neugieriger Mensch. Meine Neugier bezieht sich aber darauf, etwas Neues zu entdecken, sie braucht einen Grund, will Erfahrung und Mehrwert. Whips Neugier ist eine andere. Er macht Dinge, weil man sie machen kann, und dann schaut er, was passiert. Wenn etwas Unvorhergesehenes passiert, ist er entzückt, wenn nicht, auch. Er erfreut sich an Dingen, die mir bedeutungslos erscheinen, und er liebt Experimente jedweder Art. Er muss auch alles ausprobieren. Wenn er irgendwo einen Schalter, einen Knopf oder einen Hebel sieht, muss er ihn betätigen, ganz egal, was passieren wird. Es ist diese kindliche Neugier, die er sich bewahrt hat, die er wahrscheinlich immer haben wird, die ihm einen Vorsprung verschafft, vor uns allen.

Bei Whip hat man immer das Gefühl, er sei permanent auf Speed. Aber seit einem verunglückten Experiment nimmt er keine Drogen mehr. Es ist seine Natur. Dieses Überdrehte, immer leicht Hektische, Sprudelnde, zwischen den Gedanken hin und her Springende. Es gibt bessere Hacker als ihn, sagt er, aber sein großes Plus ist seine Kreativität. Er liebt Probleme. Und er liebt Lösungen. Darin gleichen wir uns. Nur dass ich die Probleme, die er zu lösen versteht, nicht einmal im Ansatz begreife. Das hat wohl auch damit zu tun, dass mein Lieblings-kinderbuch *Winnie-the-Pooh* war, Whips *Neuromancer*, *Snow Crash* und *The Time Machine* heißen.

Whip hat einen Binärcode als Tattoo. Er geht von seinem linken Arm über seine rechte Schulter und Hüfte bis zu seinem rechten Fuß hinunter. Vier Ziffern pro Zeile. Die Nullen und Einsen sind ungefähr centgroß. Es sind hunderte. Vor Jahren habe ich ihn mal gefragt, was der Code bedeute. Er sagte, das sei geheim, bei aller Freundschaft. Er faselte etwas von Stibitz und Aiken und sagte, es werde wohl einige Jahre dauern, um den Code zu entschlüsseln, den Code, der die Welt verändern wird und der die Antwort auf die Frage geben wird: Wieso? Er hofft, dass man ihm nach seinem Tod die Haut abziehen und zu Forschungszwecken konservieren wird, damit die Stu-denten sozusagen hautnah forschen können. Er liebt Selbstin-szenierung und Theatralik.

Whip ist für die Suche zuständig. Er sagt, dass er jeden aus-findig machen kann, dass unser Zeitalter keine Anonymität mehr zulässt. Spuren lassen sich verwischen, aber irgendwo und irgendwann tauchen neue auf.

150 000 Pfund kostet ein Auftrag. Zwei pro Jahr nehmen wir an. Wir nehmen keine Mörder, die im Affekt oder aus Verse-hen getötet haben. Kann passieren. Wir nehmen nur vorsätz-liche Mörder, in der Regel mehrfache. Das hat nichts mit Ehre oder Moral zu tun. Wir sind nicht die Guten. Käme uns nie in den Sinn. Es ist einfach nur logisch. Es geht um Verdienst. Und um Konsequenz. Wir hatten schon alle möglichen Anfra-gen. Oft sind wir erstaunt, wer uns erreicht, woher und wa-rum, und mit welchen Geschichten unsere Dienste angefragt werden. Beispielsweise:

Hallo ihr Lieben, ich bin Sandy aus Cardiff. Mein Mann betrügt mich mit seiner Assistentin. Ich möchte, dass ihr die Schlampe vierteilt und ins Meer werft. Danke. PS.: Wohin soll ich das Geld überweisen?

Sehr geehrte Damen und Herren, mein Name ist Johann, ich bin 15 Jahre alt und schon Millionär. Das liegt daran, dass meine Eltern Millionäre sind. Sie besitzen laut Forbes 800 Millionen Dollar. Ich nur zwei. Durch ihre äußerst gesunde Lebensweise (Obst + Pilates) werden sie meiner Schätzung nach noch 40 weitere Jahre lang existieren. So lange kann ich unmöglich warten. Ich weiß, dass sie nur Schwerverbrecher nehmen. Aus diesem Grund habe ich eine Liste angehängt, mit all den Verbrechen, die meine Eltern begangen haben, angefangen von der Ausbeutung Schutzbefohlener bis hin zu Unachtsamkeiten im Straßenverkehr. Ich wäre bereit, das Doppelte zu bezahlen. Bitte schicken Sie mir eine PN auf facebook mit dem Spruch: *Du bist nicht auf der Welt, um so zu sein, wie andere dich haben wollen.* Herzlichst, Ihr Johann

Liebe Mörder, könnten Sie für uns einen Auftrag in Istrien erledigen? Geht um einen Bauunternehmer, der noch Schulden hat. Wir gehen von der rumänischen Mafia aus, deshalb können wir die Sache nicht selbst erledigen. Haben von Ihnen nur das Beste gehört. Wäre es möglich, dass Sie vorher noch Füße und Hände abtrennen? Und wie viel würde das extra kosten? Wären auch durchaus an einer längerfristigen Zusammenarbeit interessiert. Bogdan

Es ist nicht der merkwürdige Humor, der uns immer wieder überrascht, es ist der Ernst, mit dem es viele der Antragsteller meinen. Wir antworten grundsätzlich nicht auf solche Briefe. Anders sieht es bei solchen Anfragen aus:

Würden Sie den Mörder unserer Tochter finden? Sie hieß Annie. Sie war elf Jahre alt. Wie die anderen Mädchen auch. Sie hat Zuckerwatte geliebt und Sherlock und Avocado und schiefe Laternen und den Regen, wenn er ›tollpatschte‹, wie sie sagte. Manchmal ging sie nach der Schule noch zum Pferdestall, wegen Rutger, dem dreibeinigen Hund, der dort streunte. Sie hatte eine Schwäche für Außenseiter. Die Zeit hat sie oft vergessen, sie kam immer zu spät, sie sagte, wenn sie auf die Zeit achten müsste, würde sie doch ihr Leben verpassen. Das wollten wir nicht. Wir wollten ihre Freiheit, unsere Freude, Hoffnung und das Glück, die niemals enden wollende Sorge und auch die Angst, ja, auch die. Nun ist sie nur noch Geschichte und Gedanke. Er hat sich beschwert, dass sie um ihr Leben gebettelt hat, er hat gesagt, dass sie keine Manieren habe, ungezogen und egoistisch sei. Das habe ihn nur noch ärgerlicher gemacht. Wir wissen natürlich, dass er krank ist und Hilfe benötigt. Deshalb wenden wir uns auch vertrauensvoll an Sie.

# 15

Archie hat sich nicht verfahren. Boulder Highway, Ecke Nellis Boulevard.

Wir stehen in Sam's Town. Umgeben und umschlossen von Bettenburgen, die als Hochhäuser getarnt sind. Das Casino mit Hotelanlage ist eine eigene Stadt im Miniformat. Die fünf Hektar große Anlage ist in sich geschlossen. Im Zentrum ein überdachtes Atrium, in dem das Leben außerhalb der Zimmer und Spielhallen tobt.

In der freien Natur.

In der künstlich nachgestellten freien Natur, um genauer zu sein.

Nicht minder überwältigend. Nur anders.

Plastikblumen, Palmen und ein nach Chlor duftender Wasserfall, der von einem Berg aus Spritzbeton plätschert. Aus Lautsprechern tönen Tiergeräusche und auf einem fünf Meter hohen Gipfel hängen ein Bär und ein Puma ab. Ihre Köpfe bewegen sich, elektrisch, fern aller Illusion. Für das leibliche Wohlbefinden sorgt eine artgerechte Außengastronomie, Burgerkette, Steakhaus, alles dabei. Der Ort nennt sich *Mystic Falls Park*, nie aber habe ich einen Ort gesehen, der weniger mystisch war.

Das kann nicht wirklich gut gehen. Warum sind wir hier?

»Wir wollten Poker spielen«, sage ich.

»Später.«

»Was heißt später?«

»Archie hat da was aufgetan, für heute Abend. Jetzt kommt erst mal die Avantgarde.«

»Die Avantgarde?«

Whip seufzt. »Wir wissen doch, wie einfach es ist, cool zu sein. Man kennt nahezu jeden B-Film-Regisseur, liebt kaukasischstämmige Schriftsteller aus dem 19. Jahrhundert, die ausschließlich auf Russisch veröffentlicht haben, knipst mit seiner Leica M3 von 1954 leicht unscharfe Bilder von dörflichen Bushaltestellen im Nieselregen und zeigt die ironisch-distanzierte Exaltiertheit einer Hey-wir-könnten-echt-Freunde-sein-wenn-du-nur-ein-klein-wenig-klüger-wärst. Easy. Diese Nummer habe ich mit 14 Jahren hinter mir gelassen. Jetzt geht es darum, die Welt mit offenen Armen zu empfangen.«

»Und dazu gehört deiner Ansicht nach Bingo?«

»Absolut! Angesagte Locations kann jeder. Niemand, der etwas auf sich hält, geht heutzutage nach Soho, ins Berghain oder nach Williamsburg. Pioniere gehen dorthin, wo keine Pudelmützen sind. Sie sind immer die Ersten, nicht die Folgenden.«

»Ich möchte lieber nicht der Erste sein.«

»Du bist so negativ eingestellt. Hast du überhaupt schon mal Bingo gespielt?«

»Ich? Nein. Du?«

»Nein. Und darum geht's. Es ist ein Abenteuer. Ein Sprung ins Ungewisse, ein Urknall.«

»Oh Whip, bitte …«

»Doch, doch, vertrau mir, ich bin die Stimme deiner Wildnis.«

»Meiner was?«

»Na ja, Baby«, er küsst mich auf die Stirn, »lass uns rocken …«

Rocken?

Hier?

Wir gehen am Pavillon für Verliebte vorbei und betreten das Innere.

Spielautomaten.

Natürlich. Eine Welt, die insbesondere von Snowbirds heimgesucht wird. Wenig Kinder, wenig Mittelalter, Rentner, mit grenzenloser Freizeit, so weit das Auge reicht. Klimaflüchtlinge, die stumm an Dingelingmaschinen sitzen, rauchen und Martini trinken. Mittags. Doch im Gegensatz zum Publikum des *El Cortez* kann ich hier nur den Durchschnitt sehen, den amerikanischen, den touristischen, den menschlichen. Die Extravaganz beschränkt sich auf ein norwegisches Muster auf einem ansonsten cremefarbenen Pullover. Neben mir schlurft eine Untote mit fahrbarem Sauerstofftank vorbei. Bitte nicht helfen, signalisiert ihr Gesicht. Das Casino-Radio spielt *Don't Cry For Me Argentina*. Für einen kurzen Moment lebt die Welt in Zeitlupe, hier und jetzt, und ich sehe das Endstadium, zum zweiten Mal an diesem Tag, die andere Variante, und ich bin nicht sicher, welche der beiden die unheimlichere ist.

Wir gehen orientierungslos umher. Wir wissen nicht, wo der Bingoraum ist. Wir könnten fragen. Aber warum sollten wir das tun, wir sind Jungs, Männer, Abenteurer. Als wir um eine Ecke biegen, stoppen wir jäh.

Uns wird der Weg versperrt. Von einem Rentner-Paar. Beide in den Achtzigern. Er sitzt im Rollstuhl. Sie steht neben ihm. Ihre Hand ruht auf seiner Schulter. Sie trägt eine Frisur, eine beigefarbene Stoffhose und ein weißes T-Shirt mit Rambo-Aufdruck. 1982. Es zeigt Sylvester Stallone mit Stirnband, nacktem Oberkörper und einer Panzerfaust in den Händen. Ihr Teint ist rosafrisch, was aber auch an dem deutlich zu dick aufgetragenen Make-up liegen kann. Er trägt eine Jeansweste über einem weißen Hemd. Auf der Weste ist in Herzensnähe der Patch eines Motorradclubs aufgenäht. *Expect No Mercy*. Dabei sieht er gar nicht aus wie ein Bandido. Er ist altersdünn und hat zittrige Hände, die in seinem Schoß einen Milchshake umklammern. Die Spuren des Genusses sind verräterisch in seinem Gesicht abzulesen. Er trägt einen Schnurrbart aus Milch. Es sieht aus, als hätten sie sich für ein Foto aufgestellt. Wie in einem Western, wo der Fotograf unter einem schwarzen Tuch durch eine Plattenkamera schaut und mit der linken Hand den Blitz hochhält, der lauthals Wusch macht.

Sie starren uns beide an.

Und da wir überrascht sind, starren auch wir sie an. Pattsituation. Keine Frage.

Bis der Rollstuhlfahrer plötzlich mit seinem Mittelfinger das international bekannte Zeichen für *Verpisst euch* macht.

Whip fühlt sich sofort angezogen. Ich kenne diesen Gesichtsausdruck. Nicht gut. »Na Rocker, alles fit im Schritt?«

Ich schäme mich zu Tode, wenn Whip solche Sachen macht. Er weiß das. Und er genießt es.

Der alte Mann im Rollstuhl schaut Whip entgeistert an, dann saugt er eine kleine Ewigkeit an seinem Milchshake und sagt schließlich mit einer kratzigen, alten Stimme zu mir: »Krieg die Schwuchtel besser in den Griff, sonst kümmern wir uns um ihn, capisce?«

»Capisce«, sage ich, derweil ich darüber nachdenke, wen er mit uns meint. Ich muss lächeln und versuche Whip weiterzuschieben. Der aber gibt sich störrisch und sagt: »Ich bin ganz verliebt in Sie.«

»Töte ihn«, sagt der alte Mann zur alten Frau neben ihm.

»Gut gekontert«, sagt Whip, »aber jetzt mal unter uns Veteranen, Sie wissen doch bestimmt, wie wir hier zum Bingo kommen, müsste ja Ihre Paradedisziplin sein, Sir.«

»Bingo?«

Der alte Mann wird plötzlich kreidebleich. Fahrig, unsicher, nahezu verängstigt, als sei ein verwunschenes Wort gefallen, als sei das Böse heimgekehrt. Die Augen hat er weit aufgerissen, unruhig flattern sie hin und her. Er schnappt nach Luft, dann bekreuzigt er sich.

»Der Herr ist mein … was ist der Herr noch mal, Eve?«

»Dein Hirte. Und mein Name ist Esther. Ich bin deine Frau. Seit 58 Jahren«

»Ja, genau! Mein Hirte!« Und als wäre er von Sinnen, verfinstert sich sein Blick erneut. Die Kraft kehrt zurück, Zornesfalten bilden sich auf furchiger Stirn und sein Gemütszustand wechselt rasant die Spur. »Und ihr beiden geht mir auf den Wecker. Ihr fickt doch miteinander. Das sehe ich doch! Du fickst dem da in den Arsch, ja, in den Arsch, du fickst dem in den Arsch, immer und immer wieder fickst du dem da in den Arsch, rein, raus, rein, raus …«

»Walther …«

»Was?!«

»Nimm mal deine Pillen«, sagt Esther. Zu uns: »Entschuldigen Sie bitte meinen Mann, er kann nichts dafür, das Alter, Sie wissen schon. Wir sind eigentlich keine unfreundlichen Menschen.«

»Verstehe«, sagt Whip, »dann können Sie uns bestimmt den Weg …«

»Nein«, sagt Esther, dreht sich um und schiebt Walther in Richtung Toilette.

Komisch.

Die Menschen hier.

Eine Kellnerin hat das kleine Scharmützel mitbekommen und bleibt kurz stehen. »Na, da habt ihr beiden Süßen wohl gerade Bonny und Clyde kennengelernt.«

»Echt jetzt?«, fragt Whip, »dachte, die seien tot.«

»Die von Sam's Town noch nicht«, sagt sie und lächelt. Sie dürfte Mitte 40 sein, ist sehr dünn, bis auf ihre Brüste, die sehr groß und unglaublich unnatürlich aussehen. Ich kann meinen Blick kaum abwenden, gerade weil es so unerotisch ist.

Sie hat es gesehen.

»Na, Herzchen, was kann ich für dich tun?«

»Oh … ich … ich meine, wir … wir möchten eigentlich zum … Bingo.«

Sie blickt mich etwas länger an, leicht amüsiert, überlegen, ein wenig spöttisch, nicht unsympathisch, aber ich habe mich schon wieder gefangen, die kleine Peinlichkeit geschluckt und erwidere den Blick.

»Die Rolltreppe hoch, nicht zu verfehlen«, sagt sie, dreht sich um und verschwindet für immer aus meinem Leben.

Ich bezweifle, dass es oben besser wird. Aber ich folge Whip, der im Eroberungsmodus voranstürmt.

Oben angekommen, möchte ich die Rolltreppe nach unten nehmen.

Sofort.

Lebenslänglich.

Aber Whip zieht mich am Hemdsärmel zurück und hinein ins Geschehen.

Der Bingoraum hat die Größe einer Turnhalle. Siebzig bis achtzig Spieler sind am Start. Die meisten sehen aus, als seien sie aus Fotos von Martin Parr geflohen. Auch hier sind wir mit Abstand die Jüngsten. Und, soweit ich es erkennen kann, auch die einzigen Touristen, auf jeden Fall die einzigen von außerhalb der USA. An der Kasse fragt uns Debbie, ob wir mit dem Computer oder mit Zettel und Stift spielen wollen. Whip ist für Oldschool.

Ich bin nicht sicher, ob das eine gute Wahl ist. Soviel ich weiß, muss man nur die Zahlen, die gezogen werden, mit denen auf seinem Zettel vergleichen und ankreuzen, sofern sie übereinstimmen. Aber es gibt bestimmt auch ein paar Regeln und kleine Tricks, von denen wir nichts wissen. Der Computer, sagt Debbie, ist einfacher, der macht praktisch alles von alleine. Aber Whip insistiert auf *Oldschool*.

Wir bezahlen, nehmen Zettel und Stift und suchen uns einen Platz.

Aufgeteilt ist der Raum in lange Sitzreihen. Die Tische sind durchgängig und in der Mitte von einem ebenso durchgängigen vertikalen Brett getrennt. So, als solle man nicht spinksen. Bei seinem Gegenüber. Aber was sollte man von ihm abschreiben? Seine Bingozahlen? Wir wählen einen Platz am Gang in der Nähe der Getränkebar. Wer möchte, kann sich einen Kaffee oder einen Softdrink holen. Umsonst.

Ich setze mich und erschrecke.

Die Dame mir gegenüber müsste längst tot sein. Dass sie

noch atmet, ist ein Wunder. Sie muss um die 190 Jahre alt sein. Ich habe noch nie so viele und so tiefe Falten in einem Gesicht gesehen. Ihre Hautfarbe ist grau. Sie ist sehr klein und äußerst dünn. Ein Windhauch könnte ihr weh tun. Sie trägt einen kleinen blassblauen Hut. In ihrem eingefallenen Mund steckt eine Marlboro. Durch den schleiernen Rauch schimmern ihre grünen Augen wie die einer Eidechse.

Ich verweile noch einen Moment in der Dekonstruktion und sage schließlich: »Hallo.«

Die Dame sagt auch etwas. Glaube ich. Es ist mehr ein Geräusch. Eine Art Gurgeln.

Okay.

Dieser Ort ist speziell. Nie zuvor habe ich eine solche Tristesse gesehen. Whip hingegen lächelt. Er sieht glücklich aus.

Ich schaue mir die Blätter etwas genauer an. Es sind fünf an der Zahl mit je sechs Feldern. 24 Zahlen sind auf jedem Feld, in der Mitte eine Art Joker, der Free Space heißt. Zusätzlich gibt es einen Bonus-Zettel, auf dem Dual Action Bingo steht. Es fällt mir schwer, die Begriffe Action und Bingo miteinander in Verbindung zu bringen.

Rechts von mir werden Stühle nach hinten geschoben.

Ich drehe mich zur Seite und sehe, wie zwei Frauen neben uns Platz nehmen. Sie könnten Mitte zwanzig oder auch Mitte vierzig sein. Sie sehen aus wie … Obst. Denn das Erste, das mir in den Sinn kommt, ist: Birne und Melone.

»Hi, ich bin Sandy, meine Freundin Mary Ann«, sagt die Dünnere der beiden und zeigt auf die Dickere.

»Die Zierde der Welt, die Töchter Amerikas«, sagt Whip und grinst freundlich und äußerst gewinnend. »Whip mein Name, und der nette junge Mann neben mir ist Billy.«

»Sehr erfreut«, sagt Sandy und lässt ihre Augen nicht mehr von mir.

Es ist nicht Liebe auf den ersten Blick.

Auf den zweiten auch nicht.

Auf gar keinen.

Sandy trägt eine Jane-Fonda-Gedächtnis-Dauerwelle und könnte die jüngere Schwester von Chuck Norris sein. Ihre Brille hat einen Goldrahmen. Sie trägt ein zu großes rotes T-Shirt, das in einer hellblauen Karottenjeans steckt. Ich wusste gar nicht, dass es so etwas überhaupt noch gibt, Karottenjeans. Sie ist die Attraktivere der beiden. Mary Ann trägt ebenfalls Dauerwelle, nur in Dunkelbraun. Sie muss in etwa so viel wiegen wie ein Elefant. Sie trägt eine halbärmelige weiße Bluse mit Vögelchen-Muster und eine schwarze, enge Stoffhose, die ihre massiven Oberschenkel ansprechend zur Geltung bringt.

»Und«, fragt Sandy, die offenbar das Sprachrohr der beiden ist, »das erste Mal hier?«

»Ja«, sagt Whip. »Ziemlich aufregend alles.«

»Na, dann sage ich mal im Namen der Bingo-Community: Herzlich willkommen! Und falls es Fragen gibt: Sandy und Mary Ann stehen mit Freude zur Verfügung.«

Ich finde es immer unheimlich, wenn Menschen von sich selbst in der dritten Person reden. Ich nicke freundlich, drehe mich wieder um, erschrecke kurz, denn ich hatte das graue Gesicht hinter der Rauchwolke schon fast vergessen. Es starrt mich nach wie vor an. Und ich bin nach wie vor irritiert, dass man in dieser Stadt an den unmöglichsten Orten rauchen darf.

Warum bin ich hier?

»G 14.«

Es geht los. Wie aufregend.

Die Kugeln werden automatisch aus einer Lostrommel gezogen. Eine Frau auf einem erhöhten Podest liest die Zahl laut vor. Ein Mann im modernen Vertreter-Look von 1980 steht daneben. Er scheint wichtig zu sein. Tut aber nichts. Manchmal geht er. Dann kommt er wieder.

»N 12.«

Das geht schnell. Zu schnell. Sechs Blöcke mit je 24 Zahlen. Das heißt, ich muss 144 ...

»O 51.«

Was hat der Buchstabe zu bedeuten? Es gibt keine Buchstaben auf dem Blatt. Nur Wörter. Gambling Hall oder Recyclable. Selbst Whip scheint überfordert. Dabei ist er Informatiker, Physiker und Kryptoanalytiker, er müsste das Spiel schon rein intuitiv begreifen. Alle anderen sind tausendmal schneller. Auch das graue Etwas, das kaum aufs Blatt schaut und mich jetzt nicht mehr aus den Augen lässt.

»N 69.«

Es dauert eine kleine Ewigkeit, bis wir erkennen, dass N, G, B, I, O oder auch B, I, N, G, O die einzigen Buchstaben sind, die aufgerufen werden. Und dieses Wort steht über jedem Block und grenzt somit die Reihen vertikal ab. Das heißt, man muss nur sechs anstatt dreißig Zahlenreihen prüfen. Das macht es erheblich einfacher.

»G 26.«

Hat man es einmal verstanden, verlangt dieses Spiel nichts mehr von einem. Kein Können, kein Geschick, keine Strategie, nichts. Es ist das reine Glück. Und es macht sehr viel Spaß.

»B 2.«

»Jep.«

Ein Mann, der mit drei Zentimetern Abstand vor seinem Bildschirm sitzt, hat Jep gerufen. Nicht Bingo. Jep. Er hebt seinen rechten Arm, so weit es eben geht. Der Mann im Vertreteranzug geht zu ihm und kontrolliert, ob er tatsächlich gewonnen hat. Als er ein Zeichen gibt, sagt die Bingozahlen-Vorlesefrau herzlichen Glückwunsch. Die anderen Spieler klatschen.

Nicht alle.

Als die Gewinnsumme genannt wird, bekommt Whip große Augen. »Hat der Rollstuhlfahrer da gerade 2000 Dollar gewonnen? So viel kann man beim Bingo gewinnen?«

Sandy und Mary Ann schauen uns irritiert an. »Mehr, man kann sogar sehr viel mehr gewinnen. Es gibt Wochenenden, an denen 500 000 Dollar an Preisgeldern ausgeschüttet werden«, sagt Sandy.

»Krass. Wo? Hier?« Whip ist hellauf begeistert.

»Na, da liest wohl jemand nicht die *Bingo Bugle*?«

»Die … äh, nein, ich glaube nicht.«

»Dachte ich mir, sonst wäre ja bekannt, welche Highlights in der nächsten Zeit im Boulder, Palace oder Sunset Station so anstehen. Im Plaza läuft nächstes Wochenende auch ein ganz heißes Turnier. Wie gesagt, steht alles im *Bingo Bugle*. Ich liebe diese Zeitung, und ganz besonders liebe ich Bob on Bingo. Die Bingo-Kolumne von Bob Whittmore. Der kann so wunderbar sensibel schreiben, ein richtiger Schriftsteller. Er spricht Themen an, die uns Spielern aus dem Herzen sprechen. In der letzten Ausgabe hat er zum Beispiel die Frage gestellt: Kann man zu viel Bingo spielen, kann Bingo süchtig machen? Bob sagt: Nein! Und er sagt: Ja, Bingo ist gesund! Denn Bingo regt sowohl die linke als auch die rechte Gehirnhälfte an. Das ist Wissenschaft!«

Und dann steht Sandy plötzlich auf, und die dicke Mary Ann tut es ihr gleich, sie blinzeln kokett mit ihren Augen und stemmen ihre Hände in die Hüften.

Ich bin besorgt.

Sie machen zwei kreisrunde Bewegungen mit ihren Hintern, recken synchron ihren linken Arm in die Höhe und cheerleadern: »B-I-N-G-O, baby! Sexy as hell!« Als Finale wird uns noch der Marilyn-Monroe-Mundkuss zugepustet.

Instinktiv möchte ich mit dem Handrücken über meine Lippen wischen, versuche es stattdessen mit einem freundlichen Lächeln.

Die anderen Spieler haben die kurze Performance kaum oder bewusst nicht wahrgenommen.

»Das war unser Cheer für die Neuankömmlinge«, sagt Sandy und setzt sich wieder. »Mary Ann und ich sind in der Arbeitsgemeinschaft Bingomania. Wir wollen verstärkt das jüngere Publikum wieder für unser Spiel begeistern, es infizieren und nie wieder loslassen. Die erotische Komponente wollen wir dabei ein wenig mehr in den Vordergrund schieben. Ich frage jetzt mal ganz direkt: Ist es uns gelungen?«

Ich kann Whips Begeisterung körperlich spüren, bevor er aber etwas Unüberlegtes tut, sage ich: »Doch, ja, das war … außergewöhnlich.«

Sandy legt ihre rechte Hand auf meine und sagt: »Das ist lieb, das ist so lieb von Ihnen, vielen Dank, wir machen das ja ehrenamtlich, aber Bestätigung ist so motivierend, wissen Sie, das unterschätzen viele.« Und während sie das sagt, streichelt sie beiläufig meine Hand, und es wäre mir lieber, sie täte es nicht.

»N 25.«

Das zweite Spiel beginnt.

Ich drehe mich wieder um und konzentriere mich voll und ganz auf meine Aufgabe.

Das graue Wesen vor mir ignoriere ich so gut es eben geht.

»G 18.«

Dreimal. Ich habe dreimal die 18. Schön. Was passiert, wenn ich der Erste bin, der alle Zahlen in einem der Kästchen hat? Werde ich dann Bingo rufen? Oder Jep? Nein, werde ich nicht, ich werde nichts dergleichen tun. Ich stehe auf und gehe zur Getränketheke. Nehme einen der Pappbecher und fülle ihn mit Kaffee, der nur so heißt, aber nicht so schmeckt. Schaue mich um. Und zum ersten Mal wird mir bewusst, dass es Zeitreisen tatsächlich gibt, dass es keine Frage der Technik ist, nicht einmal eine der Imagination. Alles stimmt, Interieur und Personal, keine Veränderung, keine Bewegung, es war schon immer so und soll nie anders sein. Stille Menschen. Beim Vergnügen. Gesichter ohne Freude, gekrümmte Körper, warten, dass etwas passiert, in diesem goldenen Zeitalter, in dem alles möglich ist, auch das Nichts. Kein Urteil, nur Beobachtung. Vielleicht haben sie Spaß, vielleicht nicht, vielleicht wollen sie einfach nur ihre Zeit totschlagen, und was sollte schlimm daran sein, die Zeit totzuschlagen, wo wir doch nichts anderes tun.

Komisch ist nur, dass ich selbst hier das Gefühl habe, verfolgt zu werden.

Ich weiß nicht, warum, ich weiß nur, etwas stimmt nicht.

Eine Hand berührt von hinten meine Schulter.

Wie aus dem Nichts steht sie neben mir.

»Und, wollen wir vier Hübschen nachher noch irgendwo was trinken gehen?«, fragt die Schwester von Chuck Norris und nippt dabei verführerisch an ihrem Kaffeebecher.

# 16

Als das Blut gegen den Baum spritzte, die Vögel von den Wipfeln stoben und der Nachklang endlich verstummte, war die Zeit der Unschuld ein für alle Mal vorbei. Die Erinnerung, sagte Onkel Seamus, verblasst nicht, sie verstummt nur. Die Bilder bleiben, die Stimmen gehen.

Angefangen hat alles damit, dass Onkel Seamus von einem entfernten Cousin gefragt wurde, ob er jemanden kenne, der gegen eine nicht unbeträchtliche Summe für Gerechtigkeit sorgen könne. Da war Onkel Seamus 20 Jahre alt, er war gerade erst aus Birmingham heimgekehrt, er brauchte unbedingt einen Job und hatte eine Schwäche für Gerechtigkeit. Er sagte, er kenne da durchaus jemanden: sich selbst.

Es stellte sich heraus, dass für Gerechtigkeit eine überraschend große Nachfrage existierte, das Angebot jedoch zu wünschen übrig ließ. Onkel Seamus, ganz der Geschäftsmann, erkannte instinktiv eine lukrative Nische. Er legte sich – noch etwas unbeholfen – eine Scheinidentität zu und baute die Firma behutsam auf. Er machte Fehler, korrigierte, lernte, dachte um, stürzte, stand auf und tat, was getan werden musste. Im Lauf der Jahre erarbeitete er sich einen Ruf als tüchtiger, umsichtiger und diskreter Handlungsbevollmächtigter. Nie gab es Grund zur Klage, nie. Die Professionalisierung erreichte mit Whips meisterhafter Spurensuche und Pollys fanatischer Kombinationslust neue Dimensionen. Musste der Aufenthaltsort eines Delinquenten bis dahin wenigstens rudimentär bekannt sein, konnten jetzt auch Flüchtige und vermeintlich Verschollene ausfindig gemacht und besucht werden. Das machte die Firma noch begehrter. Konjunkturflauten gab es nicht, Gerechtigkeit war hoch im Kurs, da die meisten Menschen ihren Glauben an die Rechtsprechung der Institutionen längst verloren hatten.

Während Frankie schon nach kurzer Zeit ein vollwertiges Mitglied wurde, sollte ich meinen ersten Auftrag erst drei Jahre später erhalten. Onkel Seamus wollte zunächst sehen, wie ich reagiere und ob ich wirklich in der Lage war, einen Menschen umzubringen. Denn in der Theorie, sagte er, sei es natürlich ein Einfaches. Die ersten vier Male war ich mit Frankie unterwegs. Als Auszubildender sozusagen. Frankie ist das, was man als einen geborenen Mörder bezeichnen könnte. Er kann beiläufig töten. So wie andere den Fernseher einschalten oder einen Latte macchiato bestellen, genauso beiläufig kann Frankie ein Leben auslöschen und dabei einen Ausdruck an den Tag legen, als stehe er in einer Warteschlange oder zähle die Vögel am Himmel. Wenn er superduper drauf war, blickte er den Toten an, als habe der ihm aus Versehen auf den Fuß getreten und als habe er, Frankie, überreagiert, und als tue ihm das alles unendlich leid. Es gab Situationen, die mich irritierten, die ich nicht gleich verstand. Wie die mit dem Franzosen, der Einzige, mit dem Frankie sich noch kurz unterhielt, bevor er abdrückte. Normalerweise erledigt er seine Jobs mehr so im Vorbeigehen, Recherche, klar, aber der Akt sieht bei ihm immer ein wenig flüchtig aus, nebenbei, schnörkellos, auf den Punkt genau. Dieses eine Mal nicht. Wir hatten ihn in einer Hochhaussiedlung in Marseille gefunden, er dachte, er sei dort anonym. War er aber nicht. Er flehte. Er sagte, dass er doch Hilfe brauche, dass er krank sei und dass man ihn doch nicht für seine Krankheit verantwortlich machen könne. Und dann hat Frankie ihm lange einfach nur in die Augen geschaut und schließlich gesagt, dass es ihm leid tue, dass er so krank sei, dass er ihn leider nicht retten, aber seine Krankheit heilen könne. Der Franzose war erst verwundert, dann verstand er und lächelte.

Mit 22 war es so weit. Mein erstes Mal. Solo. Ich war aufgeregt. Ich wusste ja nicht, wie ich mich verhalten würde. Versagen? Funktionieren? Brillieren?

Es lief nicht wirklich rund.

Onkel Seamus hatte mir ein Betriebsfestmassaker gegeben. 21 Angestellte einer Autozubehörfirma. Das waren die Opfer. Ihr Erlöser und Messias, wie er sich selbst nannte, war Regi-

nald Ohio, der Buchhalter. 54 Jahre alt. Klassischer Psycho-
path. Über 30 Jahre war er in der Firma die Unauffälligkeit
in Person. Verbindlich, verlässlich, wortkarg und unnahbar.
Niemand erlebte ihn je lächelnd, weder akustisch noch visuell.
Niemand wusste, was er am Wochenende tat und wie seine
Lieblingsserie im Fernsehen hieß. Nur eine Sache war komisch, weil sie nicht passte, zu ihm, zu seiner Ordnung. Manchmal vergaß er seinen Teebeutel in der Tasse, und man mut-
maßte, dass er es mit Absicht tat, dass es sein ganz persönlicher
Akt der Rebellion war. Schlimmere Vergehen indes waren
nicht bekannt. Und dann, am 16. September 2002, es war ein
Montag, wie jeder andere Montag auch, ging er nach der
Frühstückspause auf die Toilette, holte zwei Schnellfeuerpis-
tolen aus seiner schweinsledernen Arbeitstasche heraus und
zog sich die rote Pudelmütze über, die er mit zwölf Jahren
von seiner Großmutter geschenkt bekommen hatte, um sich
vor der Kälte zu schützen. Er war schon als Kind immer so
kränklich gewesen, so blass, so zerbrechlich. Er verbarrikadierte den einzigen Fluchtweg mit einem Aktenschrank, mar-
schierte den Flur entlang, ging von Büro zu Büro und erledig-
te seine Arbeit gewissenhaft. Pro Raum verbrauchte er genau
ein Magazin. Wie geplant. Eine einzige Überlebende gab es.
Cynthia, die Chefsekretärin, trotz der 14 Einschüsse. Seine
Flucht hatte er minutiös geplant, jede Unwägbarkeit notiert,
in Schönschrift, in seinem Notizbuch. Spuren hatte er aufwän-
dig verwischt, er besaß Talent, keine Frage. Wir brauchten
über ein Jahr, um Reginald Ohio in Riga aufzuspüren. Als
ich ihn auf einem abgelegenen Hof außerhalb der Stadt fand,
war er gerade dabei, einem Kaninchen das Fell abzuziehen.
Seine Hände waren voller Blut. Er hatte dazugelernt, der
Buchhalter, er hatte gelernt, wie ein Mann zu leben, dem die
Natur alles Notwendige bietet. Nur seine Nickelbrille und sei-

ne doch recht zarte Figur verrieten ihn. Es war komisch, aber ich glaube, er wusste, weshalb ich gekommen war. Ich ließ mir seine Geschichte erzählen, wie ich es fortan jedes Mal tun sollte, und als es dann so weit war, kurz vor dem Abdrücken, schloss ich für einen kurzen Moment die Augen, lange genug, dass Reginald Ohio den Kopf ein paar Zentimeter zur Seite drehen konnte. Als ich die Augen wieder aufmachte, sah ich, dass ich sein Ohr zerschossen hatte. Es war nur noch ein blutiger Fetzen übrig, der labbernd nach unten hing. Mir wurde übel, ich drehte mich zur Seite und erbrach das Frühstück auf den Holzboden. Reginald Ohio aber räusperte sich nur und sagte: »Entschuldigung, aber das hinterlässt bei mir keinen sonderlich professionellen Eindruck. Wie soll ich Ihnen denn da vertrauen?« Und dann sah er mich mit diesem diabolischen, maskenhaften Grinsen an, das er mir schon während des Gesprächs immer gezeigt hatte, als es um all die Leben ging, die ausgelöschten. Und dann funktionierte es sehr viel besser. Meine Hand zitterte nicht mehr und auch die Augen schloss ich nicht, mein Puls verlangsamte sich, keine Unruhe, keine Nervosität mehr, Fokus, Mechanik, Zeit.

Die Gewissheit lag in den Augen, die in die Leere blickten, und in der Stille, die alles übertönte.

Ich weiß noch, wie ich in die Stadt fuhr. Weil ich auf einmal Leben brauchte, um mich herum. Trubel, Hektik, Bewegung, Lärm. Die erste Person, auf die ich traf, war eine junge Kellnerin in einem Café. Sie hatte lange, schwarzgefärbte Haare, großflächige Tätowierungen und mehrere Piercings in der Unterlippe. Sie fragte mit besorgter Stimme und nordischem Akzent: »Welcher Blitzkrieg hat dir denn so übel mitgespielt, Süßer?« Es hatte mich augenscheinlich mehr berührt, als ich angenommen hatte. Ich bestellte einen Cappuccino, setzte mich in die hinterste Ecke und blätterte in *Hey Robotermädchen*, einem alternativen Kunstmagazin. Bis heute kann ich mich an kein Bild, keinen Text, keine Geschichte erinnern, nur an das Blättern, vor und zurück, und an all die Stimmen um mich herum, keine Wörter, nur einzelne Laute, Geräusche, die mich beruhigten, in Sicherheit wiegten, in Sicherheit vor all den Gedanken.

Ich mochte die Macht nicht. Die Macht, ein Leben zu beenden. Sie erschien mir merkwürdig, unangenehm, unpassend. Es gab keine Gefühle von Überlegenheit oder Herrschaft, es hatte nichts Berauschendes. Diese Macht war bedeutungslos, sie war nicht von Wert, im Gegenteil, sie beschwerte.

Meine erste Flucht hieß Mitleid.

Ich bildete mir viel auf meine Gabe ein, die Empathie. Ich kann mich hineinversetzen. In andere Menschen. Ich kann der Vater eines fünfjährigen Kindes sein, das bei einem Amoklauf ums Leben kam, ich kann der Ehemann einer Frau sein, die mehrfach vergewaltigt und anschließend in kleine Teile zerstückelt wurde, ich kann mitleiden, ich kann sein, wer auch immer ich sein oder nicht sein möchte.

Als ich Onkel Seamus von meinen Überlegungen erzählte, wurde er grimmig.

»Ach«, sagte er »du kannst dich hineinversetzen. Mitleiden. Interessant. Hast du schon mal ein Brandopfer nach einem Bombenangriff gesehen, dessen Haut zu 90 Prozent verkohlt ist? Hast du es gerochen, diesen Gestank nach verbranntem Fleisch und süßem Blut? Hast du in diese ungläubigen Augen geschaut, die mit ansehen mussten, wie die ganze Familie zerfetzt und in Stücke zerteilt auf dem Boden liegt, obwohl man doch nur ein paar Tomaten auf dem Markt kaufen wollte? Hast du die aufgeplatzten Lippen gesehen, die das Wort *Warum* formen?

Nein?

Hast du nicht?

Ich auch nicht.

Und ich weiß auch nicht, welche Schmerzen das sind. Und ich möchte es auch nicht wissen. Es ist Anmaßung, von Mitleid zu reden. Dir kann etwas leidtun, du kannst dich in Ohnmacht, Wut und Verzweiflung hineinversetzen, aber du kannst nicht mitleiden, nie, niemals. Niemand ist in der Lage, das Leid und den Schmerz eines anderen Menschen mitzufühlen. Es ist nur Mimikry. Mitleid ist eine Lüge.«

Danach versuchte ich es mit Gerechtigkeit. Aber von Gerechtigkeit, wie sie unsere Auftraggeber so liebten, hielt Onkel Seamus auch nicht viel. »Ach«, sagte er, »ein Gerechter. Interessant. Nehmen wir fiktiv an, jemand fährt auf eine Insel und tötet dort 69 Menschen. Was ist sein Verdienst? Was kann er als Gegenleistung dafür erwarten? Den neunundsechzigfachen Tod. Das wäre die Gerechtigkeit im Sinne einer simplen mathematischen Gleichung, in der zwei Variablen durch ein Gleichheitszeichen getrennt werden. Gerecht wäre die gleiche Angst, die gleiche Qual, das gleiche Martyrium. Unmöglich? Ja. Es gibt keine Gerechtigkeit. Weder für das Opfer noch für den Täter. Hinterbliebene wollen Kompensation, und das, was sie Gerechtigkeit nennen, ist nur das schönere Wort für Rache. Strafe ist immer ungerecht. Jedes Richten bedeutet Unrecht tun. Wir begehen Unrecht. Das solltest du wissen, du magst den Antichrist, das sind mehr oder minder seine Worte.«

Mit der Zeit allerdings wurde es einfacher. Keine Routine, gewiss nicht, es ist ja auch kein Beruf wie jeder andere, aber das Gefühl änderte sich. Es wurde kälter und doch nie wirklich kalt. Es berührt mich, immer wieder, immer noch, nie auf die gleiche Weise.

Es gibt keinen Tag, an dem ich nicht darüber nachdenke, was ich tue. Es hat nichts mit Reue, wenig mit Zweifel und viel mit Diskurs zu tun. Es ist immer ein Fragen und ein Durchspielen, ein Austausch von Argumenten, ein Streiten, ein Scheitern, ein Erinnern, ein Träumen und manchmal auch ein Erschrecken. Dann, wenn ich alles verliere. Alles, was mich ausmacht. Es gibt diese Momente, in denen ich einfach stehen bleibe, mitten auf einer Wiese, im Regen, regungslos, und dann, nach zwei, drei Minuten, gehe ich weiter, und ich habe vergessen, was passiert ist, woran ich gedacht habe, keine Erinnerung, nur Leere, nicht unheimlich, eher schön.

Es gibt kein Ziel, es ist keine Berufung, kein inneres Verlangen. Ich kämpfe nicht für eine gute oder gerechte Sache. Bin ich ein guter Mensch, weil ich böse Menschen töte? Wohl kaum. Sind Morde verzeihlich, wenn sie einer guten Sache dienen? Nein, natürlich nicht, warum auch sollte man einen Mord verzeihen sollen. Es ist unverzeihlich, was ich tue. Ich tue nichts Gutes. Ich tue es, weil ich an Konsequenzen glaube, weil ich daran glaube, dass es Momente gibt, in denen es das Richtige ist, das Falsche zu tun. Ich glaube an die Ausnahmen von der Regel. Das richtige Leben im falschen spielt keine Rolle, als gäbe es ein falsches und ein richtiges, wo es doch nur das Leben gibt, das nie falsch, nie richtig, nur da oder nicht da ist. Ich besitze nicht das Recht, zu tun, was ich tue, ich begehe Unrecht, ja. Ich bin auch kein Werkzeug Gottes, ich bin ein Werkzeug meines Auftraggebers. Und dieser hat die Größe, um zu vergeben.

Oder eben nicht.

Ich glaube nicht an die linke und die rechte Wange. Habe ich nie. Trotzdem geht es nicht um Wiedergutmachung, nichts kann wiedergutgemacht werden. Kaputtes kann man reparieren, Totes nicht. Man kann vergessen, sich betrinken oder in den Himmel starren und warten, bis die Schnuppen fallen. Aber nichts wird wieder gut. Nichts wird ungetan. Mit Vergeltung oder Sühne hat das alles im Grunde nichts zu tun. Es geht um Konsequenz. Und Verdienst. Nicht um eine moralische Schuld, sondern um eine ökonomische, eine logische, eine faktische. Jeder Handlung, jeder Tat folgt eine Reaktion. Das war schon immer so. Und manchmal kann sie ganz schön teuer werden, die Tat. Und ich, ich bin eigentlich nur der Schuldeneintreiber.

Freiwillig bezahlen wollte bisher niemand. Es fehlt da oft an Einsicht. Kein Wunder. Mörder sind selten superkluge Menschen. Ich jedenfalls habe noch keinen Hannibal Lecter, nicht einmal einen Ted Bundy kennengelernt. Es wäre eine Abwechslung, eine Freude gewesen. In der Regel sind sie fanatisch und kleinkariert. Strukturelle Spezialisten. Sie müssen sich positionieren, links oder rechts, gut oder böse, schwarz oder weiß. Und immerzu müssen sie verteidigen. Nicht das Gerechte oder das Wahre, sondern die Ideologie oder den Boden. Nicht abwägen, nicht kritisieren, hinterherrennen und stolpern, wie Herdentiere das so machen. Mit der Ausnahme, dass Mörder sich gerne als Auserwählte wähnen, die gegen den Strom schwimmen, sich gar selbst opfern, um den Blinden die Augen zu öffnen. Dabei sind sie es, die das täglich grüßende Murmeltier nicht erkennen.

Ihre Gedanken gehen nur in eine Richtung, stur geradeaus. Wie oft bin ich dieser Trotzigkeit und Schlichtheit schon begegnet. Sie sind monochrom, sie haben Überzeugungen, und Menschen die nichts dazulernen wollen, weil sie ja Prinzipien haben, sind die Gefährlichsten, hat Onkel Seamus immer gesagt.

Sein Lieblingsthema.

Eine eigene Meinung zu haben, so brachte er uns in jungen Jahren bei, sei einfach, die könne man sehr billig jederzeit und überall erwerben. Nur, dass sie nicht eigen ist, die Meinung, und einzigartig schon gar nicht. Für Onkel Seamus ging es nie darum, Recht zu haben. Er verachtet Menschen, die zu bequem sind, um ihre einmal gefestigten Ansichten zu überdenken, die Recht haben müssen, koste es, was es wolle. Ihm ging es immer darum, Überzeugungen in Frage zu stellen, um Entwicklung, nicht um Stillstand, um die Ungewissheit, nicht um Schicksal. Nie hätte er zu uns gesagt: Bleib, wie du bist. Für ihn war die Dialektik die Königin. Deshalb mussten wir auch die platonischen Dialoge immer und immer wieder durchgehen. Es ging ihm nicht um die Wahrheitsfindung, nicht um die Synthese, sondern um die These und die Antithese, um den Kampf, nicht um den Sieg, wir können nicht gewinnen, wir sind Menschen, wir werden sterben, sagte er immer, aber wir können kämpfen, wir können besser sein, als wir sind.

Bei meinen Mördern hatte ich immer das Gefühl, sie scheren sich nicht sonderlich um dieses: »Werde, der du nie sein wirst«. Sie wollen lieber etwas Großes vollbringen. Und wenn kleine Menschen etwas Großes wollen, dann geht das in der Regel schief. Zudem waren sie oft auffallend unsympathisch, sie brüsteten sich gerne mit ihren Taten, erklärten ausführlich, was für eine Arbeit es ist, einen Menschen zu erwürgen, zu erstechen, zu erschlagen, und fanden es lustig, sich lustig zu machen, über die anschließende Sägerei, das Verpacken und die Entsorgung. Gleichzeitig beschwerten sie sich, dass die Fesseln zu eng waren, in ihre Handgelenke schnitten, monkerten ohne den Anflug von Ironie, dass man so nicht mit ihnen umgehen könne. Manchmal wurde ich kindlich und dachte garstig: Genauso wenig wie ich ein Recht habe, dein Leben zu nehmen, genauso wenig hast du ein Recht, dein Leben zu leben.

Oder aber: Klassische Pattsituation.

Ich habe mich immer gefragt, warum Massenmörder meist Unschuldige töten. Ich würde es gerne verstehen, nicht moralisch, sondern logisch. Es gibt so viele Exemplare auf dieser Welt, die es von ganzem Herzen verdient hätten, eine freie üppige Wahl, ein Supermarkt voller Premiumprodukte. Der gemeine Massenmörder jedoch vergnügt sich mit den Unschuldigen, den Zufälligen, den Wehrlosen. Das ergibt keinen Sinn. Ich kenne die Beweggründe, die Rechtfertigungen, ich habe sie alle gehört. Und alle sind sie schwach. Es zeugt nicht von Heldentat, zwanzig Menschen mit einem Schnellfeuergewehr umzubringen. Das ist feige, das ist einfach, keine Kunst. Ihnen fehlt es an Charakter, an Größe, an Bedeutung. Stil und Ehre sind ihnen fremd. Und wenn sie von Ehre reden, dann wissen sie nicht, wovon sie reden. Ehrenmörder besitzen fraglos keinerlei Ehre.

Weit über neunzig Prozent unserer Klientel sind Männer. Wir töten aber auch Frauen. Selbstverständlich. Gleichberechtigung. Mord ist Mord. Die Frauen sind allerdings Frankies Angelegenheit. Onkel Seamus sagte immer, Frauen würden mir den Kopf verdrehen. Keine Ahnung, was er damit meint. Ist aber auch so schon abwechslungsreich genug. Ich hatte Mörder, die aus Habgier, aus Angst, aus Hass, aus Liebe oder einfach nur aus Langeweile töteten, Mörder, die von Gott beauftragt wurden oder von Satan, Mörder, die nur neugierig waren, die wissen wollten, wie sich das so anfühlt, diese Macht, dieses kribbelnde Etwas. Und alle hatten sie eine schwere Kindheit oder Meningitis oder beides. Schuld gibt es in ihren Augen nicht, und da haben sie Recht, aber in dieser Welt gibt es immer einen Schuldner, einen, der bezahlen muss. Und da stellen sie sich gerne ganz hinten an.

Ich mag keine Mörder.

Ich weiß, dass ich selbst einer bin.

Tja.

Einmal noch hatte ich Schwierigkeiten abzudrücken. Bei

Gustavo. Dem Ältesten von allen. Einem portugiesischen Fischer, der seine Opfer wie seine Fische behandelte. Das Ausnehmen, sagte er, sei immer schon seine liebste Tätigkeit gewesen. Als ich in seine Augen sah, zögerte ich für einen Moment. Die ganze Zeit über hatte ich schon so ein komisches Gefühl. Und plötzlich wurde mir klar, an wen er mich erinnerte. An Wallace Macthomas. Aus unserem Dorf. Wir haben ihn immer nur den alten Mann genannt. Das Einzige, was ich Wallace Macthomas habe machen sehen, war: fegen. Vor seiner Haustür. Den Weg vom Vorgarten bis zum Bürgersteig. Im Herbst die Blätter, im Winter den Schnee, im Frühling die Pollen und im Sommer irgendwas. Immer wenn ich Tante Livi zum Bäcker begleitet habe, habe ich ihn gesehen, und er hat uns immer gegrüßt, mit Namen, er kannte jeden per Namen, er hatte ein fabelhaftes Gedächtnis, und ich glaube, er war der höflichste alte Mensch, dem ich jemals begegnet bin. Als ich eines Donnerstags wieder an seinem Haus vorbeikam und niemanden vor der Haustür fegen sah, war ich zutiefst verstört. Ich war sechs Jahre alt und verstand zum ersten Mal, was Tod bedeutet. Verlust. Unwiederbringlich. Und auch wenn Wallace Macthomas kein Freund war, er mir nicht einmal viel bedeutete, so war es doch ein Verlust, ihn nicht mehr fegen zu sehen, nicht mehr begrüßt zu werden, keine Verbeugung und kein Lächeln. Es war der Verlust einer Gewohnheit. Und ich lernte schnell, dass es verschiedene Stufen des Verlustes gibt und dass man manchmal erst merkt, wie sehr man jemanden mochte, wenn er plötzlich nicht mehr da ist.

Ob jemand Gustavo vermisst hat, weiß ich nicht.

Wohl aber weiß ich, dass sein Gesicht nicht mehr schön aussah.

Wie all die anderen Gesichter auch nicht.

Dieses Nichts hat mich immer wieder irritiert. Dieses starre, puppenhafte und irreale Dasein, leblos, ohne Leid, ohne Freud, ohne Funktion. Kurz zuvor noch hatten sie geweint oder gelächelt oder einfach nur gezwinkert, um ihre Augen zu befeuchten. Und dann, von der einen auf die andere Sekunde: kaputt. Keine Existenz mehr. Kein Verstand und keine Seele. Nur noch Gewebe, das sich zersetzt und neues Leben füttert.

Die letzten Minuten gehörten ihnen. Ganz alleine. Wer wollte, konnte sich ein Lied wünschen, ein letztes, um zu gehen, Abschied zu nehmen, Ruhe zu finden, was auch immer. Jeder von ihnen hat das Angebot angenommen. Jeder. Zwölf Songs. Ich war überrascht, dass sie mitunter einen recht hübschen Musikgeschmack hatten. Andererseits: warum auch nicht. Ihre letzten Worte allerdings waren selten von Größe gesegnet.

Barbra Streisand *Memory*
Reginald, 54, Buchhalter, Massenmörder:
»Wie soll ich Ihnen denn da vertrauen?«

Miley Cyrus *We Can't Stop*
Danny, 20, arbeitslos, Prostituierten-Mörder:
»Fastfood, eigentlich mag ich Fastfood am liebsten.«

Cheb Khaled *Aicha*
Selcuk, 34, Unternehmer, dreifacher Ehrenmörder:
»Ich fick dich.«

Paul Anka *Put Your Head On My Shoulder*
Henry, 34, Elektroniker, der Axt-Killer:
»Mein Bruder wird Sie mögen.«


Pentagram *Last Daʒe Here*
Sören, 26, Tischler, Ritualmörder:
»Ich bin da mehr so zufällig reingeraten.«


The Roots *Work*
Shane, 27, Autowäscher, Totschläger:
»Irgendwie flasht mich das nicht, Alter.«


Elton John *Rocket Man*
Jongwoo, 51, Krankenpfleger, der Einschläferer:
»Sie waren ja schon müde.«


Chet Faker *Gold*
Dakota, 22, Börsenmakler, Gelegenheitsmörder:
»Ich kann mich daran eigentlich kaum noch erinnern.«


Black *Wonderful Live*
Alexandre, 36, Mathematiker, der Filetist:
»Mir ist ein wenig kalt.«


Philip Glass *The Hours*
Matthew, 42, Arzt, der Skalpell-Mörder:
»Hätten Sie vielleicht etwas Meskalin dabei?«

Edith Piaf *Milord*
Gustavo, 63, Fischer, Serienmörder:
»Der Seeteufel wird kommen, er wird kommen.«


Johnny Cash *Hurt*
Jeff, 25, Busfahrer, vierfacher Mörder:
»Meine Familie war mir irgendwann einfach unangenehm.«


Haben Sie sonst noch eine Frage?


**17** Wir haben uns das Firelight-Buffet in Sam's Town gegönnt. Mit einer Horde anderer Touristen. Keiner wilden, eher lethargischen. Das Essen war günstig, üppig, geschmacksneutral. Leichtes Magengrummeln, mehr nicht.

Und jetzt stehen wir im Atrium bei Dunkin' Donut, um Kaffee zu bestellen.

Die Bedienung hat sich an der Theke abgestützt und pustet ihre frisch lackierten Fingernägel trocken. Sie ist schlank und trägt einen blonden Pferdezopf. Das weiße Polo-Shirt ist etwas zu knapp geraten, betont ihre wohlgeformten Brüste jedoch anschaulich. Selbst ein braunes Baseball-Cap mit den Initialen DD kann sie nicht ins Lächerliche ziehen. Sie sieht aus wie eine Hotelkettenerbin auf Sozialstunden.

Nicht gut.

»Lady?«, sagt Whip.

Die Bedienung schaut weiter auf ihre lackierten Finger und sagt: »Hi.«

Servicekräfte in diesem Land sind außerordentlich freundlich und professionell. Meine Erfahrung. Sie scheint davon noch nie etwas gehört zu haben.

Whip starrt sie irritiert an.

Die Bedienung scheint zu verstehen und sagt in einem atemberaubend tonlosen Tonfall, der ihr ein Maximum an Anstrengung abverlangt: »Willkommen bei Dunkin' Donut. Was kann ich für Sie tun?«

»Einen Latte und einen Americano, bitte«, sagt Whip, nach wie vor irritiert.

Die Bedienung drückt Knöpfe und stellt die gefüllten Pappbecher wortlos auf die Theke. Sie hebt ihre linke Augenbraue um einen Millimeter nach oben, und da wir nicht sogleich verstehen, tippt sie mit ihrem rechten Mittelfinger dreimal auf die Theke, um auch den Zurückgebliebensten unter den Kunden, also uns, unmissverständlich die Frage zu stellen, ob man sonst noch etwas wünsche.

Oje.

»Mögen Sie Makifrösche?«, fragt Whip.

»Bitte?«

»Sie sehen so aus. Wie Morris Hamilton in *The Sapo Diaries*, nachdem er gepiekt wurde.«

Sie starrt Whip an.

Whip starrt zurück. »Sie wissen wahrscheinlich nicht genau, wie das Gift des Phyllomedusa bicolor Ihren Organismus befällt.«

Sie weiß es nicht. Ich auch nicht, und ich weiß auch nicht, wer Morris Hamilton ist.

»Machen Sie sich nichts daraus«, sagt Whip, »in der Zukunft wird Wissen keine Rolle mehr spielen, nichts wird unnötiger sein als Auswendiglernen, wir werden das Vermitteln von Fakten einstellen. Das bisschen Wissen, das wir selektiv speichern können, ist nicht größer als ein Sandkorn. Wir werden es nicht mehr brauchen, wir werden in Millisekunden Wissen abrufen, als wäre es unser eigenes. Ein Riesenballast wird von unseren Schultern fallen. Wir werden nicht mehr angeben und uns nicht mehr schämen müssen, weil jeder alles weiß. Wir werden unser Gehirn nicht mehr mit Daten und Fakten belästigen, wir werden es für die eigentliche Aufgabe benutzen, für die Analyse, die Forschung und die Genesis. Wir werden kreativ, klug und unsagbar schön sein. Mit Ausnahme von Ihnen natürlich.«

Die Bedienung sieht Whip mit dem gelangweiltesten Gesichtsausdruck an, den ich jemals gesehen habe, fragt ihn: »Haben Sie sonst noch einen Wunsch, Sir?« und knipst schließlich für den Bruchteil einer Sekunde dieses gefrorene Cameron-Diaz-Lächeln an.

Zwei zu null.

Wir bezahlen, nehmen unsere Becher, setzen uns in den Pavillon und schauen dem künstlichen Wasserfall beim Platschen zu.

Romantik.

Pur.

Die Dämmerung ist in ihren letzten Zügen, gleich bricht die Dunkelheit an und mit ihr das künstliche Lichtermeer. Schön wird es sein, keine Frage.

»200 000 Jahre Evolution«, sagt Whip und stiert auf seinen Café Latte. »Mit Paris Hilton haben wir den Peak überschritten.«

Ich klopfe ihm zärtlich auf die Schulter, gute Besserung mein Freund, das geht vorüber.

»Es wird ein Fest sein«, sagt Whip, »wenn uns bald Roboter bedienen werden, wenn das Zeitalter der Hologramme und Avatare anbricht.«

Manchmal mache ich mir ein wenig Sorgen um Whip, er sehnt sich so sehr nach dieser realen Irrealität, dass er die Schönheit des Unvollkommenen übersieht, das Schroffe, das Unmögliche, das Zerbrechliche und das immer wiederkehrende Endliche.

»Bald ist es so weit«, sagt er, die Augen glasig von Fernweh, »bald werden wir die Welt haben, wie sie uns gefällt. Wir werden uns keine Geschichten mehr erzählen lassen, es wird keine linearen Strukturen mehr geben, wir werden selbst die Helden sein, groß, klug, schön, stark, hässlich, böse, brutal, nicht als Spiel, sondern als unser Leben, wo und mit wem es auch stattfinden mag. Stell dir nur vor, du könntest neben deinem Nietzsche sitzen, auf einer Parkbank oder in einem Café …«

»Er ist nicht mein …«

»… und ihr könntet euch unterhalten, fachsimpeln und streiten, denn Nietzsche wird ein komplexer sich selbst entwickelnder Charakter auf Grundlage seiner Äußerungen und seiner Lehren sein, und du wirst sehr schnell vergessen, dass er keine biologische Person ist, und du wirst es lieben. Kurzum: Wir brauchen einander nicht mehr.«

»Auch wir nicht? Sind wir nicht Freunde?«

»Doch, natürlich, aber eine Kopie von dir, ob holografisch, mechanisch oder biologisch, täte es auch. Die Parameter deines Charakters reichen mir, dein Aussehen, deine Materie ist mir relativ egal.«

»Eine Kopie?« Er denkt nicht weit genug zurück.

»Es wäre eine, die ich nach Belieben um mich haben könnte. Wir müssen den Begriff Leben neu definieren. Und mal ehrlich, warum sollten wir uns mit unvollkommenen Menschen abgeben, die uns anlügen, ausbeuten und die Kehle durchschneiden wollen? Das macht keinen Sinn. Wir wollen doch alle geliebt, bewundert und begehrt werden. In unserer virtuellen Welt wird das möglich sein. Wir werden keine andere mehr wollen. Und warum sollte eine virtuelle Welt nicht real sein? Ist die Welt, in der wir leben, denn nicht die irrealste aller nur möglichen? Wir werden großartige Freunde haben und selbstverständlich werden wir uns in Roboter verlieben. Schon jetzt haben viele Menschen nur noch Tiere als Freunde. Also Dinge, die Wuff oder Miau machen. Um wie viel mehr werden wir Freunde lieben, die mit uns reden, die vögeln und denken können?«

»Perfektion ist auf Dauer langweilig. Vielleicht mag ich ja Fehler.«

»Romantischer Unsinn. Du musst dich von deiner Sozialisation befreien, wenn du in die Zukunft schauen willst.«

»Sozialisation ist Geschichte, ohne Geschichte keine Zukunft.«

»Du bist romantisch, das war schon immer dein Problem.«

»Was soll das denn heißen?«

»Na ja, zum Beispiel die Musik, die du hörst, ich bitte dich, die ist ja auch so, wie soll ich sagen, emotional.«

»Bitte?«

Whips Handy klingelt. Sein Glück. Das hätte blutig enden können.

Er geht ran. »Ja? ... Cool ... in fünf Minuten ... wir kommen raus.«

Er schaut mich an und grinst.

»Was?«, frage ich.

»Archie ist gleich da. Er bringt uns zu *The Table*.«

»*The Table*?«

»Geheime Pokerrunde, ultracool.«

Ich schaue Whip misstrauisch an. Nach der Bingo-Sache ist meine Naivität ein wenig angeschlagen.

»Keine Sorge, keines dieser dubiosen High-Stakes-Spiele,

bei denen du froh sein kannst, lebend wieder aus dem Hinterzimmer rauszukommen. *The Table* ist das Pokerspiel in Vegas, es läuft ununterbrochen seit 14 Monaten. Nur alle sechs Stunden gibt es eine zehnminütige Pause, dann wird ein bisschen sauber gemacht. Buy-in ist 5000. Keinen Cent mehr, keinen weniger. Kein Rebuy. Die Blinds sind 25 und 50 ...«

»5000?«, stoppe ich Whip, »habe ich zufälligerweise gerade nicht dabei.«

»Habe mir erlaubt, deinen Anteil vom Geschäftskonto abzuheben.«

»Sehr aufmerksam, aber ...«

»Raus ist, wer pleite ist, einschläft oder sich unbotmäßig verhält. Man kann natürlich auch jederzeit freiwillig den Tisch verlassen. Wer einmal draußen ist, kann erst nach einem Monat mit 5000 wieder einsteigen. Insgesamt bis zu drei Mal. Es warten nie mehr als vier oder fünf Leute auf einen Platz. Kann zwei Minuten, aber auch zwei Stunden dauern, bis einer frei wird. Vorausgesetzt, du bist einer von den Auserwählten. Denn für *The Table* brauchst du Beziehungen. Es spielen Lokalisten, Touristen, Profis, Abenteurer und 'ne ganze Menge Hollywoodprominenz. Bei denen ist *The Table* schwer angesagt. Kann also gut sein, dass vor dir Leo auf deinem Platz gesessen hat.«

»Großartig«, sage ich mit gezügelter Begeisterung.

Wir verlassen das Freizeitparadies und gehen nach draußen. Es ist dunkel, immer noch warm. Wir warten an der Auffahrt, an einer Palme unter einer Leuchtreklame. Ein guter Moment, um eine Zigarette zu rauchen. Aber ich rauche nicht. Und außerdem riecht es schon in Archies Limousine wie in einem überdimensionierten Aschenbecher, in dem die Kippen der letzten drei Wochen lagern.

Ich kann Archie hören, von weitem schon, unverkennbar,

dieser Sound, ein Motor mit Husten, die halbe Stadt muss ihn kennen. Und als das goldene Gefährt die Auffahrt entlangquietscht, schottert, ruckelt und pufft, fühle ich mich komischerweise gut, ein wenig privilegiert, so wie es anderen Menschen geht, die von einer Stretchlimo abgeholt werden, was mir wiederum nichts bedeuten würde, im Gegenteil, es wäre mir unangenehm.

Archie lässt den Motor an, die Scheiben sind zur Hälfte runtergekurbelt. Er winkt uns rein, so, als hätte er es ein wenig eilig.

Wir setzen uns nach hinten und Dolly Parton begrüßt uns mit *Jolene*. Ich ertappe mich dabei, wie ich mit den Fingern im Takt auf die Armlehne tippe. Der Kavalierstart ist standesgemäß und doch bin ich wieder unvorbereitet und werde in den Sitz gedrückt. Merde.

»Na, meine kleinen Bingo-Boys«, sagt Archie, »fun, fun, fun gehabt? Dann geht's jetzt zu den großen Jungs, neuer Spielplatz, neues Glück.«

Am Rückspiegel swingt ein Foto kreuz und quer. Es hängt an einer kurzen Kordel, die von einem Trauerflor umgarnt ist. Auf dem Foto ist Colt Seavers, Archies dänische Bulldogge, zu sehen. Seinen Worten nach ein ehemaliger Star in der Hundekampfarena. Elf Siege, eine Niederlage. Gegen einen Rottweiler. Archie hat ihn nach dem Kampf vor dem Einschläfern gerettet und dem Besitzer für einen Dollar abgekauft, er konnte nicht anders, als er in diese traurigen Augen sah. Die notwendigen Operationen hätten ihn beinahe in den Ruin getrieben, doch die Liebe, die unendliche, war stärker als der schnöde Mammon. Vier Monate später starb Colt Seavers an einem Hühnerknochen aus Kentucky. Ich bin nicht sicher, ob die Geschichte stimmt, genauso wenig, wie die über Archies Bruder, der Schauspieler war und sich für eine Rolle mit HIV infizieren und den linken Ringfinger amputieren ließ, Method Acting, Authentizität. Aber das spielt keine Rolle, denn sie passen, diese Geschichten, zu Archie, zu Vegas, in seine Welt und in meine Fantasie.

Außerdem schmeichelt Barry White gerade mein Gemüt mit *You're The First, The Last, My Everything.*

Wir fahren kleine Straßen ab, die im Dunkeln ungemütlich aussehen, flache Häuser, eingezäunte Vorgärten, Gitter an den Fenstern, bellende Hunde und huschende Ratten. Als wir kurz an einer Ampel halten, kann ich in einen der Vorgärten schauen. Ein Stillleben. Zwei umgekippte Stühle, ein Tisch, ein Grill und an der Holzverkleidung amerikanische Flaggen. Das Stückchen Gras ist keine Natur, sondern ein grüner Teppich, der Wellen schlägt und nicht bewässert werden muss.

»Nicht unbedingt die beste Gegend«, sage ich mehr zu mir selbst.

»Ach«, sagt Archie, den ich im Rückspiegel milde lächeln sehe, »ist schon ein bisschen shady hier, aber gefährlich, na ja, das ist immer so eine Auslegungssache. Ich meine, wir sind hier in Vegas, meine Brüder, da wird man schon mal erschossen, wir haben ja auch einen Ruf zu verlieren, aber im Gegensatz zu Mexiko ist das hier ein Streichelzoo. Alechandro, mein Vetter, kommt aus Tepito, Premium-Barrio, und wer die Jesus Carranza zu ungünstiger Stunde langflaniert, der ist am nächsten Tag Titelbild in der *¡Alarma!* Ohne Kopf natürlich. Aber hey, die Mexikaner gehen mit dem Tod sowieso partymäßiger um.«

Ja, denke ich, das stimmt wohl, und ich muss an die Zahlen denken, von denen ich gelesen habe, von den 40 000 Toten in den letzten Jahren und den 100 Verurteilungen. Das bedeutet: 39 900 potenzielle Kunden.

Archie parkt die Limousine am Straßenrand. Neben einer Laterne. Vor einem Motel. Vor einem Motel, das augenscheinlich nicht mehr in Betrieb ist. In die Jahre gekommen, frühe Siebziger vielleicht, und seither gewiss nicht mehr renoviert worden. Die Hausfarbe ist himmelblau. An den Stellen, an denen sich die Farbe halten konnte. Es ist wie ein Hufeisen angelegt. Parkplätze vor den Zimmern. Klassisch.

Archie würgt den Motor und Harry Nilsson ab, der gerade ein »I can't live, if living is without you« schmettert.

Wir steigen aus.

Die Straßenlaterne erhellt das Pförtnerhäuschen. Scheiben sind eingeschlagen, Scherben liegen herum. Ein Grashüpfer zirpt. Rechts von mir quietscht ein Schild im Wind, Metall klackt auf Metall, unrhythmisch, kalt, schwerfällig. Komischer Ort. Ich schaue mich um. Es gibt Ecken, die man gar nicht einsehen kann, weil sie im absoluten Dunkel liegen.

Wir gehen weiter.

Geradeaus.

In Richtung Sackgasse.

Die Poollandschaft ist beleuchtet, mit einer einzigen Glühbirne, die an einem Kabel über einem Gitter hängt. Der Swimmingpool sieht mehr nach Planschbecken aus. Wasser ist nicht in ihm. Dafür sind es Blätter, Taschentücher, Flaschen, Plastiktüten und eine tote Taube. Der Kopf hängt nur noch an einer dünnen Sehne.

Wir gehen weiter.

In Richtung Sackgasse.

Warum?

Wer spielt an diesem Ort Poker?

Es riecht nach Urin und Kokosnuss.

Wieder habe ich das Gefühl, verfolgt zu werden. Ich drehe mich um.

Nichts. Niemand.

Aber stand da nicht wieder dieser rote Chevy Nova?

Neues Nervenkostüm. Schöner. Bitte.

Ich folge Archie und Whip, die unbeirrt vorwärts streben, in Richtung Wegweiser, auf dem *Suite* steht. Ich wusste gar nicht, dass Motels überhaupt eine Suite anbieten. Dieses schon, sagt Archie, ein Ausnahme-Motel in jeder Hinsicht, eine Legende in Vegas, Sinatra hat hier schon übernachtet, mmh, und Sammy Davis Jr. selbstverständlich auch, mmh, und das steht nur deshalb in keinem Reiseführer, weil Styler hier nicht willkommen sind, mmh.

Wir gehen weiter.

Überraschung. Die Sackgasse ist gar keine. Rechts geht ein kleiner Weg ab, der zu einem weiteren kleinen Flachbau führt. Vor ihm sitzen zwei schwere Jungs auf Barhockern, zwischen ihnen ein umgedrehtes altes Ölfass, auf dem ein Macbook steht. An der Wand hängen zwei alte Gaslaternen, die ein schönes, warmes Licht spenden. Auf den ersten Blick wirken die schweren Jungs eher gelassen, professionell, sympathisch, wie Männer, die ihre Gefährlichkeit nicht billig zur Schau stellen müssen. Sie winken Archie lässig zu, der noch lässiger zurückwinkt. Man kennt sich. Klar.

Als wir näher kommen, höre ich Musik, die aus dem Flachbau dringt. Leise, aber deutlich. Es ist Tom Waits mit *Chocolate Jesus*. Komisch.

»Darf ich vorstellen«, sagt Archie, »das sind Willie und Hip.«

»Billy und Whip«, sagt Whip.

Der Rocker mit der Narbe über der rechten Wange grinst charmant und fragt: »Waffen?«

»Bitte?«, fragt Whip.

»Waffen?«

»Nein, danke.«

»Habt ihr Waffen dabei?«

Whip grinst zurück. »Nur in meiner Hose.«

Arrgh.

»Wow«, sagt der Rocker, »das Niveau steigt. Also Mr. Scherzkeks, bitte einmal umdrehen.« Der Rocker tastet uns beide ab, Whip gibt ihm das Geld, wir zeigen unsere gefälschten Ausweise, der zweite Rocker tippt unsere Namen in den Laptop ein, alles gut.

Archie verabschiedet sich und wünscht viel Glück, wir können es gebrauchen, sagt er.

Etwas abseits stehen zwei weitere Männer an einem kleinen Lagerfeuer.

Wir gesellen uns zu ihnen und bekommen mit, wie sie über ihr Kartenpech lamentieren, sie gehören also zu den Verlierern. Im wahren Leben offensichtlich nicht. Teuer gekleidet, zwischen Ende dreißig und Mitte vierzig. Gegelte Haare, Nerdbrillen, die kein Nerd mehr trägt.

»Hi«, sagt Whip und lächelt wie ein kleiner Welpe, der sich freut, neue Menschen kennenzulernen, und es kaum abwarten kann, bis das Stöckchen geworfen wird.

Die Männer aber schauen uns nur kurz aus den Augenwinkeln an und plaudern weiter.

Bitte nicht.

»Hm, lassen Sie mich raten«, sagt Whip, »Werber, richtig? Wie sagte doch gleich Mr. Leopold Mahoney, der übergewichtige Hausmeister meiner Alma Mater: Werber, die Straßennutten des Kapitalismus, die sich auch noch von dem dreckigsten Freier in den Arsch ficken lassen, nur um es ihm dann tausendfach heimzuzahlen, mit ihrer Kreativität. Sehr angenehm, Whip. Schön, Sie kennenzulernen.«

Herrje.

Der Durchtrainiertere der beiden, der wohl ab und an im Fight Club boxt und in seinen kühnsten Träumen ein American Psycho sein möchte, denkt über ein kurzes körperliches Intermezzo nach, doch ich blicke ihn gelangweilt, ohne mit den Wimpern zu zucken, an, und Männer können fast alles über Blicke und kleine Gesten regeln, wenn sie smart genug sind, und der Werber ist smart, und er versteht, dass ich es gewohnt bin zu kämpfen, nicht in einem Klub, im Leben. Und so lächelt er nur kalt und bleibt in seinem Tanzbereich.

»Billy und Whip«, ruft einer der Rocker zu uns rüber.

Wir drehen uns um und sehen, wie im selben Moment die Tür zur Suite aufgeht. Eine Art Concierge winkt uns freundlich lächelnd heran. In seinem schwarzen Smoking und dem gepuderten Gesicht sieht er mehr wie ein Zwanziger-Jahre-Varieté-Künstler aus. Er spricht kein Wort, artikuliert sich aber mit schwungvollen Gesten und übertriebener Mimik.

Er bittet uns, ihm zu folgen.

Wir tun, wie uns geheißen. Die Tür geht hinter uns zu. Leise, knirschend, ungemütlich. Der Concierge führt uns durch einen schmalen, langen Gang. Das Licht ist schummrig. Die hellblaue Wandfarbe ist größtenteils abgeblättert und der braune Teppichboden voller Flecken. Schritte knirschen die Unebenheiten weg. Ich höre wieder Musik, es ist Britneys *Toxic* von Yael Naim, most sexy Song ever. Am Ende des Gangs ist eine Stahltür mit einem klobigen Griff.

Der Concierge öffnet sie.

Wir gehen hindurch und betreten eine neue Welt.

Der Raum ist größer als vermutet. Nackter Betonboden, samtrote Wände. In der Mitte des Raums steht ein Pokertisch. Acht Spieler und ein Dealer sitzen um ihn herum. Zwei Plätze sind frei. Ein Kronleuchter spendet warmes Licht. Rechts ist eine Bar, mit einem mixenden Barkeeper, der aussieht wie Robert Redford aus *Der Clou*. Eine rothaarige Kellnerin in einem engen, aber eleganten Jumpsuit serviert Getränke. Sie wirkt ein klein wenig unsicher, so, als sei ihre wahre Berufung Model oder Schauspielerin. Am Ende des Raums steht ein DJ an Turntables. Afroamerikanische Wurzeln, schlank, trainiert, unnahbar. Seine Dreads, getrennt durch einen Mittelscheitel, hat er zu zwei Pippi-Langstrumpf-Zöpfen gedreht. Die linke Seite schwarz, die rechte silbergrau gefärbt. Er trägt eine senfgelbe Sonnenbrille und ein schlichtes graues T-Shirt ohne Aufdruck. Er ist märchenhaft tätowiert, mit Drachen und Elfen, mit Zwergen und Hexen, Feuer, Schnee und Feenstaub. Die Musik ist nicht sonderlich laut, aber kristallklar, teure Anlage, keine Frage.

Der Concierge bietet uns die beiden freien Plätze an. Sie liegen nahezu gegenüber. Die Spieler nehmen uns kaum wahr. Es ist eine erfreulich inhomogene Runde. Ich mag Vielfalt. Sehr. Immer schon. Ich war nie ein großer Freund von Einheitsevents. Gleiches Alter, gleicher Style, gleiche Menschen, langweilig. Hier nicht.

Zwei Geschäftsmänner, ein Cowboy, ein Defense Tackle der 49ers, eine blonde Vierzigjährige, die nach Turnierspielerin aussieht, und ein Ralph-Lauren-Typ mit Beats-Kopfhörern, der später am Abend vor dem Pawn Shop anstehen und seine Patek pfandleihen muss, weil er Daddys Kreditkartenlimit vollends ausgeschöpft hat.

Willkommen.

Ich nicke den beiden Spielern links und rechts von mir zur Begrüßung zu.

»Ruth, erfreut, Sie kennenzulernen«, sagt die Dame zu meiner Linken.

»Billy, ganz meinerseits.«

Ruth ist eine Mittsiebzigerin, der man Reichtum und Eleganz auf den ersten Blick ansehen kann. Der Mann rechts von mir sagt nichts.

Er sieht aus wie ein verlebter Sechzigjähriger oder ein jung gebliebener Achtzigjähriger. Ich tippe auf Ersteres. Er hat strähnige, graue, halblange Haare, trägt eine verspiegelte Pilotensonnenbrille und ein ausgewaschenes Jimi-Hendrix-T-Shirt. Monterey 67 steht über dem Konterfei des Gitarrengottes. Es ist verwaschen und hat mehrere Löcher um die Halsgegend. Es sieht aus, als sei es tatsächlich von 1967. Ich frage Mr. Supercool, ob er damals in Monterey war und wie ihm das Konzert gefallen hat.

Keine Reaktion. Er schaut nicht einmal in meine Richtung.

Verstehe.

Mein Fehler.

Reden ist für Anfänger. Und es ist mir etwas peinlich, ihn in seiner Coolness gestört zu haben.

Es ist merkwürdig, wie sehr dieses Land ein Film ist, ein Film mit permanent neuer Besetzung, neuen, umwerfenden Figuren, selbst dann, wenn sie dein Leben nur einen kurzen Moment lang begleiten und eigentlich sprachlos sind.

Ruth aber ist dafür umso redseliger. Kaum eine Runde vergeht ohne eine kleine Anekdote, ein hübsches Wortspiel oder ein wenig Gossip. Ich erfahre, dass John Hieronymus Pincher aus Oklahoma der bisherige Rekordhalter mit sieben Tagen, vier Stunden und 21 Minuten ist, dass es bei *Freed's* den besten Strawberry Cheesecake der Stadt gibt und Milly Snow, wie die bezaubernde Kellnerin mit vollem Künstlernamen heißt, *umoperiert* wurde, wobei ich schon die Information, dass auch Kellnerinnen mittlerweile Künstlernamen haben, äußerst faszinierend finde. Ruth erinnert mich ein wenig an Tante Livi in Reich. An Güte, die nichts mit Schwäche zu tun hat.

Der Dealer teilt aus. Immer wieder aufs Neue.

Und wir Kinder spielen.

Und spielen.

Und spielen.

Träumerisch werden die Bewegungen, routiniert, von leichter Hand, als hätte man nie etwas anderes getan, als sei es schon immer so gewesen. Karten fliegen, Chips hüpfen, rutschen und überschlagen sich, Gläser klirren, Wolken aus Rauch formieren sich zu immer neuen Gebilden, Lachen, Gähnen, Jubeln, Weinen, ein Gemälde, aber ja, was auch sonst. Die Musik ist relaxt, eine Idee zu selbstverliebt und unverschämt bezaubernd. Fünfziger-Jahre-Jazz oder Siebziger-Jahre-Soul hätte ich erwartet. Hätte gepasst, zum Ort, zum Ambiente, zum DJ, zum Style. Aber es laufen Antony and the Johnsons, My Brightest Diamond, Burial, Ariel Pink, Bill Callahan, Nick Drake, Soap&Skin, Banks, Leonard Cohen und tausend andere Geschichten schöner Menschen, so dass die Zeit nicht fliegt, sondern schwebt. Ich spiele tight, verliere, gewinne, habe Spaß, ärgere, freue mich, trinke Cola und Kaffee, mache eine Ausnahme, trotz des Spiels, bestelle einen Whisky, einen Talisker Single Malt, Milly, die Kellnerin, lächelt bezaubernd, ich atme tief ein und wieder aus, es könnte schlechter sein, das Leben, wahrlich.

Whip hat Pech, er verliert zweimal hintereinander, mit einem Drilling und einer Straße. Er fragt, ob er warten solle, ich winke ab, wir sehen uns morgen, mein Freund, werde ein Taxi nehmen, wenn es so weit ist.

Aber es sieht gut aus. Zweitausend im Plus. Und mit Pik König und Pik 10 mal wieder ein Blatt zum Mitspielen.

Es läuft *Blue Jeans* von Miss Del Ray.

Ruth geht mit. Ich auch. Die anderen schmeißen weg. Der Flop bringt Pik 3, Pik 9 und Herz Dame. Nicht schlecht. Ralph Lauren pusht und erhöht um 400. Ruth ist dabei. Ich auch.

Die Turn-Karte ist ein Kreuz König. Mr. Lauren erhöht um 800. Er hat einen Drilling. Oder 10, Bube, also eine Straße.

Ich denke nach. Es ist verlockend, auf noch ein Pik zu warten. Ein wenig unvernünftig. Ruth geht mit. Warum? Wartet auch sie? Egal. Ich bin dabei.

Pik 7.

Danke River.

Ralph Lauren schaut sich das Blatt lange an. Er denkt. Und denkt. Und denkt. Und checkt.

Ruth erhöht um 1600.

Hat sie auch ein Flush? Straße? Sie blufft nicht, nicht bei diesem Blatt, nicht bei dem Verlauf. Ich überlege. Tippe mit den Fingern auf den grünen Filz und gehe All in.

Ralph Lauren passt. Ruth schaut mich ernst an. Als wolle sie mir mit einem Lineal auf die Finger schlagen. Und geht mit.

Showdown. Ich decke meine beiden Piks auf. Flush, sagt der Dealer.

Ruth deckt ihre erste Karte auf.

Pik 2.

Die zweite hält sie in ihrer rechten Hand und betrachtet sie noch ein klein wenig. Sie zieht ihre Augenbrauen leicht hoch und wirkt nahezu überrascht. Sie kann nur mit einer einzigen Karte gewinnen. Das weiß jeder hier am Tisch.

Es läuft *Wuthering Heights* von Kate Bush.

Sie dreht ihre letzte Karte um.

Ace of Spades.

Klar.

Ich muss lächeln.

»Es war mir ein Vergnügen, Billy«, sagt Ruth. Sie legt ihre Hand kurz auf meine und schenkt mir ein irritierend warmes Großmutter-Lächeln, nur dass Großmütter in der Regel ihren Enkeln keine 5000 Dollar abknöpfen.

Ich stehe auf, klopfe zum Abschied kurz auf den Tisch und

gehe, verlasse diesen Ort, der mir gefallen hat, an den ich mich immer erinnern werde, mit Freude und mit ein klein wenig Wehmut.

Draußen atme ich tief ein. Die Luft ist immer noch angenehm warm, und die beiden Rocker sitzen nach wie vor neben der Tür und schauen sich auf YouTube Videos von schlichten Blondinen an, die Schminktipps geben und süßlich lächeln. Die Jungs fragen, ob sie mir ein Taxi rufen sollen, aber ich winke ab, ich möchte noch ein paar Meter gehen, die Nacht genießen, den Kopf frei bekommen, wie es so merkwürdig heißt. Sie rufen mir noch hinterher, ich solle vorsichtig sein und nicht falsch abbiegen. Klar.

Ich gehe am Swimmingpool vorbei und wundere mich für einen kurzen Moment, dass selbst Ratten die tote Taube verschmähen. Gift? Pietät? Snobismus? Ich kann die große Straße hören, von der wir gekommen sind, das heißt, die Autos, die immer noch auf ihr fahren. Kann nicht weit entfernt sein. Es tut gut, ein paar Schritte zu gehen, zu entkrampfen, Muskeln wärmen auf, Blut zirkuliert, Leben macht sich breit. Nur meine Augen tun sich schwer. Kein Wunder. Dunkelheit bestimmt meinen Weg. Keine Laternen, keine Lichter mehr, die flachen Häuser wirken wie ausgestorben, Sandmänner müssen unterwegs sein, so viel ist klar. Weiter oben, die Straße hinauf, flackert ein Fernseher in einem Wohnzimmer. Doch es scheint niemand mehr davorzusitzen. Ein Auto kommt mir entgegen, es fährt langsam, es blendet, es fährt vorbei, es fährt weiter. Es wird Zeit, den Weg hier raus zu finden. Konzentration. Wäre ich ein Pfadfinder, könnte ich mich an den Sternen orientieren, die den schwarzen Himmel löchern, aber Großer Wagen, Hund oder Bär sind für mich nur Begriffe, keine Strukturen, keine Wegweiser. Ich folge einfach den Geräuschen der großen Straße, kann nicht so schwer sein, den

Trubel zu finden, und dann werde ich ein Taxi anhalten, ins Hotel fahren, duschen und zehn Stunden lang schlafen, tief, wie ein Murmeltier, von Rapunzel oder der Schwester von Chuck Norris träumen, und ich werde aufwachen, ausgiebig frühstücken, Rührei mit feinsten Kräutern, weißes Brot mit knuspriger Rinde, dick mit Quark und Erdbeermarmelade bestrichen, einen starken, heiß dampfenden Kaffee aus einem Viva-Las-Vegas-Becher trinken, und es wird ein guter Tag werden, mit Sonne und voll Wärme, Liebe, Kitsch und Gerstensaft und Nick Cave wird *Oh Happy Day* gospeln, unentwegt und immerzu.

Schritte.

Schritte, die nicht gehört werden sollen.

Ein Rascheln.

Ein Kieselstein, der über Asphalt rollt.

Knacksen.

Ich drehe mich um.

Nichts.

Himmel. Ich muss mir unbedingt diesen Verfolgungswahn abgewöhnen.

Und doch ...

etwas stimmt nicht ...

Instinkt ...

... es muss ...

... ich drehe mich wieder um, und das Letzte, das ich sehe, ist ein Baseballschläger, und das letzte Wort, das ich denke, ist: Autsch.

# 18

»Nein danke, das reicht«, sagst du.

Seit vier Stunden sitzen wir uns jetzt gegenüber, an diesem Tisch. Vier Stunden lang habe ich dir von meinem Leben erzählt, nicht weil es mir ein Bedürfnis war, sondern weil ich Zeit brauche. Du hast zugehört. Und du hast nachgefragt. Woher die Neugier?

Du siehst ungemütlich aus. Anfang 40 vielleicht. Viele Falten, eine kleine Narbe an der rechten Wange, graue Bartstoppeln am Kinn, kräftiger Kiefer, große Nase und blau-graue Augen, wachsam, verschlagen, unlesbar. Und irgendwie kommst du mir bekannt vor. Aber ich weiß nicht, woher.

»Warum wollen Sie mir nicht sagen«, versuche ich es erneut, »wer Sie sind und warum Sie mich hier festhalten.«

Du grinst. Hm.

Ich habe immer noch Kopfschmerzen. Von dem Baseballschläger. Meine rechte Schläfe muss blau, gelb und rot sein, wahrscheinlich geschwollen. Ich kann mich erinnern, an den Moment, als ich wieder aufgewacht bin. Im Kofferraum war es. Ich konnte hören, wie du das Auto abgestellt hast, auf Schotter und Sand. Aus dem Autoradio klangen die letzten Takte von *I Believe In A Thing Called Love*. The Darkness. Du hast mich rausgeholt und auf den Stuhl gesetzt. Die Hände nach hinten mit einem Strick gefesselt.

Eine kleine Ewigkeit ist das her.

Eine Ameise krabbelt auf dem Tisch in Richtung Waffe, die dort wie vergessen liegt, keine halbautomatische Walther oder Browning, du magst Oldschool, ein Revolver, ein Smith & Wesson, 38er, sechs Kammern, Klassiker, der Hahn ist vorgespannt und der Lauf zeigt in meine Richtung.

»Es sind die bösen Menschen«, sagst du, »die uns die Augen öffnen, nicht die lieben, oder?«

»Ja, natürlich.«

»Ich bin ein böser Mensch.«

»Ah.«

Es klingt weniger wie eine Drohung, mehr wie eine Feststellung. Was möchtest du? Was möchtest du tun?

»Sind Sie ein böser Mensch?«

»Sicher«, sage ich.

»Sicher«, sagst du, »sicher. Verstehen Sie mich nicht falsch. Ich kokettiere nicht. Ich lehne nicht die Definition von gut ab. Ich lehne es ab, so zu sein. So verlogen.«

Du kippst aus einer kleinen, weiß-roten Dose mit dem Schriftzug *Samuel Gawith* eine Prise Schnupftabak auf deinen Handballen. Du schniefst beidseitig ein, legst deinen Kopf kurz in den Nacken, und spuckst seitlich in den Sand aus. »Es hat mir gefallen, Informationen aus erster Hand zu erhalten. Zumal ich noch Neues erfahren habe. Sie müssen wissen, ich studiere Sie schon seit acht Jahren.«

»Eine lange Zeit.«

Warum?

Was haben wir miteinander zu tun?

»Ja, eine lange Zeit, keine Frage. Ich glaube, und entschuldigen Sie bitte diese Anmaßung, aber ich glaube, Sie mittlerweile sehr gut zu kennen, wie einen Freund, würde ich sagen. Ich mag Sie, ehrlich.«

Ja, natürlich.

Die Sonne geht langsam auf. Lange werden wir hier nicht mehr sitzen können, uns gegenüber, an diesem alten, lotternden Holztisch. Es hat eine Weile gedauert, bis ich erkannt habe, wo ich bin. Es ist eines dieser verlassenen Häuser, die es zu Dutzenden draußen in der Prärie entlang den zweispurigen Landstraßen gibt. Vielleicht hundert Meter von der Fahrbahn entfernt. Ich kann sie sehen, wenn ich ein wenig nach hinten kippe und nach rechts schaue, dann kann ich sie aus dem Fenster sehen, aus dem Fenster mit der zersplitterten Scheibe. Auch das Dach fehlt in Teilen. Die Witterung hat diesem Heim übel mitgespielt. Wenn ich nach links schaue, dann ist da nichts mehr, nichts mehr von dem Haus, die ganze Hinterfront ist weg, nur noch vereinzelte Bretter am Boden, von braun-grünem Gras überwuchert. Aber ich kann die Steppe sehen, meilenweit und am Ende eine Bergkette, die im Morgenlicht rot schimmert.

»Finden Sie nicht auch, dass Humanismus nur eine Mangelerfahrung ist, ein Defekt im Hypothalamus?«, fragst du.

»Inwiefern?«

»Ach, inwiefern, *inwiefern*, ich bitte Sie. Das ist doch nicht nötig. Was den Menschen am meisten hemmt in seinem Tun, in seinem Wagemut, ist doch die Hoffnung. Er hofft immer, dass alles doch noch gut wird. Dabei stirbt er am Ende. Egal, was er macht. Er hat keine Wahl. Der Mensch ist vom Tag seiner Geburt an vergänglich. Er stirbt. Wie sehr er auch hofft. Haben Sie Hoffnung, Billy?«

Zehn Minuten. Ich brauche noch zehn Minuten. Dann müsste ich durch sein. Dann müsste ich den Strick an den rostigen Streben des Stuhls durchgescheuert haben. Warum hast du Strick benutzt? Ein Fehler.

»Sie möchten mir etwas sagen, ich weiß nur noch nicht, was.«

Du grinst.

Die Öllampe, die in der Nacht als einzige Lichtquelle diente und die auf dem Tisch zwischen uns steht, ein wenig nach links versetzt, neben dem Revolver, sie flackert, jetzt, da der Morgen sie ersetzlich macht. Bald wird die Sonne alles unerträglich hell erstrahlen lassen und es wird sehr, sehr heiß werden. Viel Zeit bleibt uns nicht mehr.

»Die meisten wollen bloß nicht traurig sein, dabei ist Traurigkeit die wahrhaft größte Empfindung, zu der wir fähig sind«, sagst du.

Warum auch immer.

Es muss die Küche sein, in der wir sitzen. An der gegenüberliegenden Wand hängen Bilder. Familienbilder. Mehrere Generationen. Die frühesten Aufnahmen müssen noch aus den Zwanzigern des letzten Jahrhunderts stammen. Auf einem Regal stehen verstaubte Gläser und Flaschen. Zwei sind umgekippt. Sand hat sich im Lauf der Zeit in ihnen festgesetzt.

»Wissen Sie, ich habe auch ein wenig die Philosophie studiert.«

»Ah.«

»Natürlich nicht auf Ihrem Niveau, ich wurde weniger geistig, mehr physisch sozialisiert. Ich bitte um Nachsicht für einen Laien, aber vielleicht können Sie mir bei der ein oder anderen Frage weiterhelfen.«

»Sehr gerne, falls es mir möglich ist.« Eine Notlüge. Es ist nie gut, wenn Hobby-Leser über Philosophie diskutieren möchten. Vorsicht ist geboten, um nicht arrogant rüberzukommen. Aber eigentlich hat man schon verloren, egal, was oder wie man es sagt. Ich weiß, wie du bist. Du wirst dich klein machen, um größer zu werden. Vielleicht hast du sogar viel gelesen, und du wirst irgendeinen Philosophen oder ein hübsches Zitat anbringen, und ich werde ihn oder es nicht kennen, und du wirst verwundert tun, Hippolyte Taine, Allgemeingut, dachtest du, aber, na ja, man kann ja nicht alles und jeden kennen, kann ja mal passieren. Und wenn du überfordert wirst oder deine Wahrheiten in Frage gestellt werden oder dein Geschmack schlicht und einfach nicht befriedigt wird, dann wirst du das Gedachte als Unsinn, den Denker als Dilettanten und die Zunft als Freudenhaus bezeichnen, in aller Bescheidenheit natürlich, klar.

»Ich habe eine Zeit lang in Kalifornien gelebt«, sagst du. »Dort konnte ich in Ruhe studieren.«

»Wo?«

»Pelican Bay und Corcoran.«

»Sagt mir auf Anhieb leider nichts.«

»Gefängnisse.«

»Ah.«

»Zwölf Jahre, zwei davon in Einzelhaft. 22,5 Stunden jeden Tag auf sieben Quadratmetern. Von einem Fenster habe ich nachts unter meiner Kuscheldecke geträumt. Und wenn ich für anderthalb Stunden rausdurfte, dann in einen kargen, winzigen Innenhof, der von sechs Meter hohen Mauern umgeben ist, mit einem Plastikdach, um den Blick auf den Himmel zu versperren. Ich konnte nicht einmal einen Zellennachbarn vergewaltigen, ich hatte ja keinen. Isolationshaft bedeutet, sein Gehirn in Topform zu bringen oder es verkümmern zu lassen. Eine andere Wahl gibt es nicht.«

»Unschuldig, nehme ich an.«

»Aber nein, wo denken Sie hin. Schuldig, keine Frage, ich bin ein lupenreiner Mörder. Genau wie Sie.«

Du grinst.

Ich grinse zurück. Ich kenne dich. Wieso kenne ich dich? Woher?

»Sie sind ein besserer Mensch, nicht wahr, Sie töten die Bösewichter, Sie sind ein Held für die moralischen Kleinbürger.«

»Nein, Sie verstehen das falsch. Wir sind nur Dienstleister. Wir töten nicht aus moralischen Gründen, wir töten aus Verdienst. Wir töten, weil Rechnungen beglichen werden, daran ist nichts heroisch.«

»Aber Sie sind für die Todesstrafe.«

»Ich? Wie kommen Sie darauf?«

»Sind Sie nicht?«

»Nein.«

»Aber Sie sind doch auch ein Vollstrecker.«

»Ja, aber ich vollstrecke den Mord, nicht die Strafe.«

»Sie sind nicht dafür?«

»Ich glaube, dass eine Gesellschaft das Recht hat, sich nicht auf eine Stufe mit einem Mörder zu stellen, dass sie das Recht auf eine unverhältnismäßige Strafe hat, dass sie ungerecht sein darf und sein sollte, und dass sie kein Recht auf emotionale Unkontrolliertheit hat. Ich hingegen stelle mich auf die gleiche Stufe, ich bin ein Gesetzloser, in diesem Fall.«

»Ach, wie romantisch. Das gefällt mir, Billy, wirklich, das muss ich sagen, das gefällt mir. Abe, ich habe mich noch gar nicht richtig vorgestellt, Abe ist mein Name, von Abraham.«

»Aber nicht ihr richtiger, nehme ich an.«

»Nun, meine Freunde nennen mich so, also dürfen Sie mich auch so nennen, Billy, nennen Sie mich Abe, mein Freund.«

Du grinst. Du drehst dir eine Zigarette, gekonnt, schnell, schnörkellos. Rechter Daumen und Zeigefinger sind vergilbt, deine Hände kräftig, körperliche Arbeit gewohnt. Du leckst das Papier mit deiner pelzig belegten Zunge an und vollendest dein kleines Kunstwerk mit einer kurzen Drehung. Du holst ein Zippo aus deiner Hemdtasche, klippst es auf, Benzingeruch breitet sich aus, du drehst das Rad und es macht Wusch, eine Flamme, die dem Wind trotzt und die Zigarette zum Knistern bringt.

»Auch eine?«, fragst du.

»Nein, danke.«

Du warst im Gefängnis kein Anführer, dafür bist du zu einzelgängerisch, aber du warst ganz bestimmt auch kein Opfer, dafür bist du zu verschlagen und wahrscheinlich auch zu verlogen, du weißt, wie man notwendige Allianzen schmiedet, wie man überlebt, du bist gut darin.

»Mögen Sie mein Land?«, fragst du und atmest eine mächtige Rauchwolke aus.

»Ja.«

»Und meinen Präsidenten?«

»Privat bestimmt ein sehr netter Mensch.«

»Und ein Mörder.«

»Ja, natürlich.«

Du schaust mich an. Das erste Mal für einen kurzen Augenblick irritiert. Ich konnte es sehen. Auch wenn du es nicht zeigen wolltest. Du hattest eine andere Antwort erwartet. Warum?

»Ja, nicht wahr. Ein sehr charismatischer, sympathischer und intelligenter Mann. Und ein Massenmörder, mit eigenen kill lists, die ganz offiziell abgearbeitet werden, vorzugsweise mit Drohnen, die Predator heißen. Tausende Tote in den letzten Jahren. Auch Unschuldige, die zur falschen Zeit am falschen Ort waren. Bedauerlich, aber Macht bedeutet Legitimation. Und verstehen Sie mich bitte nicht falsch, ich bin da nicht besser als irgendein Präsident. Man vergisst das aber immer so leicht. Dass er ein Mörder ist. Wie all seine Vorgänger auch. Wie alle bedeutsamen Staatslenker der Zeitgeschichte Mörder waren oder sind. Und wir, die wir ihnen zuwinken, mit unseren Fähnchen, was sind wir?«

»Böse.«

»Böse. Das gefällt mir. Wirklich. Sehr schön, Billy, sehr schön. Aber worauf ich hinaus möchte: Wir vergessen nach einiger Zeit, dass auch unsere Helden in der Regel Mörder waren. Hat nicht euer Robert the Bruce den Thron durch Mord an den Getreuen seines Konkurrenten erlangt? Heute ein Nationalheld. Zweck heiligt die Mittel. Oder?«

»Aber ja.« Du hast dich sogar mit der Geschichte meiner Heimat auseinandergesetzt? Warum machst du das? Du bist Amerikaner.

»Ich habe nie verstanden, warum wir nicht die Wahrheit sagen, warum wir nicht sagen, so, ihr habt uns angegriffen und unschuldige Menschen getötet, genau das Gleiche machen wir jetzt auch, und ja, auch wir sind Mörder. Wir sind nicht besser, als ihr es seid. Und ja, auch wir töten für Öl. Das wäre die Wahrheit. Stattdessen glauben wir den Lügen, damit wir uns moralisch besser fühlen können. Mord ist immer eine Frage des Standpunkts, des geographischen, des ideologischen, des religiösen, aber nie eine der Moral, denn die wird nur gefügig gemacht. Wir entscheiden uns für eine Seite, und wir schaffen es in der Regel nicht, über uns selbst hinauszusehen. Das ist uns viel zu anstrengend. Wir begnügen uns damit, Recht zu haben. Ist es nicht so?«

»Doch, sicher.« Ich nicke. Wenn Prediger auf Allgemeinplätzen spazieren, ist Nicken nie falsch.

»Das klingt nicht wirklich überzeugt«, sagst du. »Wenn ich Sie richtig verstanden habe, ist das doch Ihre Sicht der Dinge, oder?«

»Sicher.«

»Sicher.«

Du bist verstimmt. Das kann ich sehen. Du denkst, ich nehme dich nicht ernst. Du schaust auf die Bergkette, die verschwommene, auf das warme Rot der ersten Sonnenstrahlen, du ziehst an deiner Zigarette, die kaum mehr als ein Stummel ist, und spuckst in den Sand. Vielleicht sollte ich einfühlsamer sein, ein wenig mehr auf dich eingehen, für die Zeit, die ich noch benötige.

»Und selbstverständlich ist Mord auch eine Frage des Geldes«, sagst du und schaust mich wieder an.

Für den Bruchteil einer Sekunde ziehst du den linken Mundwinkel ein kleines Stück nach oben.

Ein Lächeln.

Eine Andeutung.

Keine schöne.

Ungewöhnlich schnell ziehst du ein kleines Messer aus deiner Hosentasche und stichst es mir zwischen Schulterblatt und Schlüsselbein. Es wird warm, es blutet kaum. Es schmerzt, aber es ist komischerweise auszuhalten. Das war beabsichtigt. Du kennst dich aus mit der menschlichen Physiognomie. Du redest weiter, als sei nichts passiert, als hättest du mir ein Haar von der Schulter gepustet.

»Die Weltgesundheitsorganisation, Versicherungen und sogar Regierungen können, und ich bin da schwer beeindruckt, den statistischen Wert eines Lebens beziffern. Ich habe mir mal die Mühe gemacht und einen Mittelwert aus all den Zahlen, die ich so finden konnte, ausgerechnet. In Ihrem Fall, also Westeuropa, kostet eine leichte Verletzung, wie die, die ich Ihnen gerade eben zugefügt habe, 18 000 Dollar. Nicht schlecht, was? Wenn ich das Messer wieder rausziehe und, sagen wir mal, in Ihr Auge steche, so dürfte der Schaden erheblich höher ausfallen. Eine schwere Verletzung ist 200 000 Dollar wert. Wenn ich das Messer rausziehe und damit Ihren Kopf abschneide, Sie also, wenn alles gut läuft, nicht mehr leben, so sind wir mit 1,5 Millionen Dollar dabei. Ein teures Vergnügen, wie mir scheint. Das wahre Leben allerdings ist weit weniger wert. In manchen Orten dieser Welt, und ich weiß, wovon ich rede, liegt der Preis bei ein paar Dollar fünfzig. Ich glaube, dass der Wert eines Lebens ganz allgemein überschätzt wird. Finden Sie nicht auch? Das eigene Leben ist vielleicht für ein oder zwei andere Menschen wirklich wertvoll. Wenn man Glück hat. Den anderen acht Milliarden ist es völlig egal.

Da nützt auch ein Tsunami auf Video nichts. Die Sensiblen sagen: Oh, wie schrecklich, und lackieren ihre Zehennägel, die Gefestigten sagen: Mach mal Repeat. Tut's weh?«

»Geht.«

»Schön.«

Warum? Warum hast du das getan? Du bist keiner, der groß foltert. Es hat einen anderen Grund. Welchen?

»Sie wissen immer noch nicht, wer ich bin, nicht wahr? Eigentlich müsste ich ja ein klein wenig beleidigt sein, dass Sie mich nicht erkennen, nicht erkennen können oder wollen. Na, vielleicht kommen Sie ja noch drauf. Aber, um auf unsere Frage zurückzukommen, was ein Leben wert ist, so kann es doch nur heißen: Alles oder nichts. Und wer sagt überhaupt, dass alle Menschen gleich viel wert sind? Ist das nicht Anmaßung? Und da Sie doch die Musik so mögen: Ist der Mann, der John Lennon erschossen hat, genauso viel wert wie John Lennon selbst? Warum sollte ein Mensch, der Millionen berührt hat, genauso viel oder wenig wert sein, wie das Nichts, das ihn getötet hat? Ist es nicht so? Ist es nicht so, wie Sie denken?«

»Sie können lesen.«

»Wir sind uns ähnlicher, als Ihnen lieb ist.«

»Nein, sind wir nicht.«

»Doch, sind wir, nur keine falsche Bescheidenheit, wir stimmen in vielen Dingen überein, wir sind beide auf der Suche, wir lassen uns nicht von der Amoralität der Moralischen blenden, wir sind keine Schafe, wir bereuen unser Handeln nicht, wir handeln, wir leben, wir tun das, wozu wir geboren wurden, und nicht das, wozu man uns formen will.«

Ich atme tief durch. Eine lose Fensterlade knarzt im Wind. Bald, bald bin ich so weit …

»Sie missverstehen«, sage ich, »ich möchte Abenteuer erleben, insbesondere in Gedanken. Ich möchte überrascht, überrumpelt und überfordert werden, genervt, erregt und verwirrt sein, ich möchte verwundet, nachdenklich, traurig und glücklich zurückgelassen werden. Und ich glaube, dass Sie jemand sind, der gesättigt werden möchte, mit dem ewig gleichen Lieblingsessen.«

»So, glauben Sie.«

»Ja, glaube ich. Sie verwechseln …«

»Nein, ich verwechsle nichts«, fährst du mir über den Mund, »gar nichts verwechsle ich.« Dein Blick bekommt zum ersten Mal etwas rein Kaltes: »Aber Sie haben da etwas verwechselt.«

»Ich?«

»Ja.«

»Und das wäre?«

»Sie haben vor acht Jahren meinen Bruder getötet. Für ein Verbrechen, das er nicht begangen hat. Diese Familie mit dem Golden Retriever hat er nicht getötet. Er war unschuldig.«

Vor acht Jahren.

Henry Abraham Woodberg.

Ich kann mich noch sehr gut erinnern. Ich kann mich an jeden erinnern. Der Axtmörder. Er kannte nicht einmal das Wort Skrupel. Erst der Hund. Dann fünf Menschen. Drei Kinder unter ihnen. Moon, die Jüngste, war erst vier Jahre alt. Wir haben ihn damals in Atlantic City ausfindig gemacht. Die Zeitungen sprachen von der Bestie aus New Mexico.

»Stimmt«, sage ich, »er hat sie nicht getötet, er hat sie abgeschlachtet.«

»Er war es nicht.«

»Ja, natürlich.«

»Ich weiß es.«

»Sicher.«

»Weil ich es war.«

»Ach ja?«

»Wir sind Zwillingsbrüder. Sie haben uns verwechselt.«

Unmöglich. So ein Fehler kann uns nicht unterlaufen sein. Unmöglich. Und doch … die Haare, nur länger, die große Nase und die tief in den Höhlen liegenden Augen, ja, das passt schon. Nicht schön. Wenn es wirklich stimmt. Deine graublauen Augen strahlen absolute Gewissheit aus.

»Er hat mir alles erzählt, seine ganze Geschichte. Und er hat gestanden.«

»Ja, das passt zu ihm. Mein Bruder hat mich geliebt, er wollte mich wohl beschützen, dieser dumme Junge«, sagst du und lachst, aber dieses Lachen hat etwas Bitteres. »Wissen Sie noch, wie ich in den Medien genannt wurde?«

»Die Bestie aus New Mexico.«

»Ja, genau, die Bestie aus New Mexico. Die Bestie. Als wäre ich ein Tier. Ist das nicht lustig? Wir haben die Bestie doch nur erfunden, um uns die Grausamkeiten, zu denen wir fähig sind, schönzureden. Der Wille zur Bestie ist in uns, Tiere tun in der Regel nur das, was die Natur ihnen aufträgt. Wer sonst foltert und massakriert mit einer solchen Hingabe und Effizienz seine eigenen Artgenossen? Bin ich grausam? Ja, natürlich. Aber ich bin keine Bestie, ich bin ein Mensch. Und das gefällt nicht jedem.«

»Sie töten grundlos, beliebig, sinnlos.«

»Interessant. Haben Sie nicht mit meinem Bruder einen Unschuldigen getötet?«

»Unbewusst.«

»Und, fühlt sich das Unbewusste besser an?«

»Nein, tut es nicht. Es geht aber nicht um ein Gefühl, es geht um Logik. Welche Verbrechen haben Ihre Opfer begangen?«

Du atmest tief ein. Es klingt wie ein Seufzen. Kurz bevor

man einem Kind zum wiederholten Mal die Wieso/Weshalb/Warum-Frage beantwortet. »Jeder hat es auf die ein oder andere Art verdient. Niemand ist unschuldig.«

»Nein?«

»Nein. Ich weiß, Sie glauben, dass es keine Schuld gibt, das sind Sie Ihrem Lehrer schuldig. Diese Welt aber ist verrottet, das wissen Sie, das weiß ich, das weiß jeder, der auch nur halbwegs die Augen aufbekommt, und genau deshalb ist es egal, wen ich töte.«

»Weil Sie über ihnen stehen?«

»Ach, bitte, nicht dieser Psychoscheiß, Billy, wirklich, da erwarte ich schon ein wenig mehr von Ihnen. Wir haben eine Idee, ein Wunschbild von dem Menschen an sich, so wie wir ihn uns gerne vorstellen und wünschen, das Ideal, das aber so gut wie nichts mit dem realen Menschen gemein hat, wir schauen zu diesem Menschen auf wie zu einem Gott, und wenn wir in den Spiegel schauen, dann sacken wir kümmerlich zusammen, weil wir die Wahrheit sehen. Was lieben wir heute am meisten? Zombies, Vampire, Götter, Avatare, Superhelden. Um nicht zu sagen: Übermenschen. Alles, was nicht menschlich ist. Weil wir uns selbst nicht mehr ertragen. Und der Übermensch, so will ich meinen, müsste doch Ihr Thema sein. Glauben Sie etwa nicht an ihn?«

»Doch, natürlich, unausweichlich.«

»Na, sehen Sie, geht doch.«

»Nein, geht nicht. Ihre Verachtung ist nicht die meine. Sie nehmen den Wahnsinn persönlich.«

»Persönlich?«

»Ja.«

»Hm, vielleicht bin ich einfach zu sensibel«, sagst du und lachst.

Du lachst viel, aber du bist kein fröhliches Geschöpf.

Du drehst dir noch eine Zigarette, blickst in die Ferne und signalisierst den Wunsch nach ein wenig Stille.

Gerne.

Ich könnte dir erzählen von Onkel Seamus, der immer sagte: Ich liebe die Menschen, aber ich verachte die Menschheit. Ich könnte dir erzählen, wie er uns glauben machte, dass es fantastische, großartige, heldenhafte Menschen gibt, versehrte und verstümmelte, eigenartig, von Kopf bis Fuß, ich könnte dir erzählen von den Hinterhöfen, nicht von den Fassaden, von den wenigen, nicht von den vielen, und von Gedanken, die größer sind als Taten. Aber warum sollte ich das tun? Es wäre sinnlos. Du hast deine Erfahrungen gemacht, deine Meinung gemeißelt, eine heilige, eine unantastbare.

»Sie sind also doch jemand …«, sagst du nachdenklich und gelangweilt zugleich, »… Sie sind also doch jemand, der Hoffnung hat.«

Du blickst leicht angeekelt in die Ferne.

Verstehe.

»Das Misanthropische«, sage ich, »ist eine hübsche, ehrenwerte und durchaus gerechte Sache. Sich am Dummen, Hässlichen und Bösen zu erfreuen, um sich größer zu fühlen, ist nicht verwerflich, nicht bedeutsam, mainstream, allzu menschlich. Ich bin da keine Ausnahme. Es geht aber nicht um die Erkenntnis, sondern um die Schlüsse, die aus der Erkenntnis gezogen werden.«

»Ach, und die wären?«

Noch zwei Minuten.

Höchstens.

Ich bin fast durch.

»Ich glaube, dass der Zustand ein trauriger ist, dass die Vergangenheit eine traurige ist, dass wir in den nächsten hundert Jahren vor den größten Umbrüchen unserer Geschichte stehen, nicht nur visuell, auch inhaltlich, positiv, negativ, wir werden sehen, ich glaube daran, dass Begriffe wie Vernunft, Intelligenz oder Individuum völlig neu gedeutet und interpretiert werden müssen, und ja, ich glaube, dass Sie Ihren wohlverdienten Hass nicht als Grund für Ihr Handeln missbrauchen können, nicht, weil es moralisch verwerflich wäre, sondern weil es umsonst ist, um nicht zu sagen, wertlos, es geht nicht um Hoffnung, es geht um Möglichkeiten, um Chaos, um Differenz.«

»Sie sind ein Narr«, sagst du und lächelst. »Liebenswert, so eine Einstellung, liebenswert und dumm. Wo doch nur das Ende zählt. Es war nie anders.«

Du stehst auf und schiebst einen kleinen Servierwagen mit großen Rädern an unseren Tisch. Den Staub der Jahre pustest du nur ungenügend weg. Eine Geste, kaum mehr. Du gehst zum Auto – der rote Chevy Nova, war klar – öffnest den Kofferraum, der ungemütlich quietscht und holst eine blaue Sporttasche und einen Plattenspieler heraus. Einen Kofferplattenspieler, um genau zu sein. Einen batteriebetriebenen. In Rot. Er sieht fast genauso aus wie mein erster, eigener Plattenspieler, mit dem ich damals auf dem Dachboden die Plattensammlung meiner Eltern angehört habe. Du stellst ihn auf den Servierwagen, die Tasche legst du neben dir auf dem Boden ab.

»Sie wissen, welcher Part jetzt kommt?«

»Ich darf mir ein letztes Lied wünschen?«

»Bingo. Ich habe in den letzten Jahren immer wieder darüber nachgedacht, welches Lied es wohl sein wird, das ich für Sie auflegen darf. Ich habe die Entscheidung für Sie getroffen, treffen müssen, ich wollte unbedingt eine Platte, eine Schallplatte, Stil, Sie verstehen, und ich konnte ja schlecht eine ganze Plattensammlung mitbringen. Ich hoffe, Sie sind mir nicht böse, nehmen mir diese Anmaßung nicht allzu übel.«

»Gewiss nicht.«

»Danke, das ist lieb, ich weiß das zu schätzen, ehrlich. Ich habe es mir auch nicht leicht gemacht. Zuerst dachte ich an *Heroin* von Velvet Underground, im Andenken an Ihre Eltern.«

»Sehr aufmerksam.«

»Ja, nicht?« Du bückst dich, öffnest den Reißverschluss der blauen Sporttasche und holst eine Single heraus. »Dann aber ist mein Hippie-Gen mit mir durchgegangen und ich habe mich für Joan Baez mit *Farewell Angelina* entschieden. Fontana Records. Alte Schule. Ich habe diese Single genauso wie den Plattenspieler, der Ihnen bekannt sein dürfte, auf dem Dachboden Ihrer Kindheit gefunden und … wie soll ich sagen … ausgeliehen. Eine Überraschung, ich bin ganz aufgeregt.«

Du warst bei uns? Du hast in meinen Sachen geschnüffelt? Wie unangenehm.

Du fächelst dir mit der Platte Luft zu, ich erkenne Sie wieder, an der Eins, die ich mit blauem Kugelschreiber auf die Hülle gemalt habe, so wie bei allen Platten, die ich besonders mochte, und jetzt sehe ich auch die Katsche an dem Plattenspieler, rechts unten, als Frankie mit einem Glas nach mir geworfen hat, weil ich in voller Lautstärke The Fall gehört habe.

Du nimmst die Platte aus der Hülle.

Ich brauche nicht mehr lange.

Du legst sie auf den Teller.

Durch.

Die Fesseln sind durch. Ich halte sie fest und lasse sie langsam Stück für Stück nach unten auf den Boden gleiten. Frei. Endlich. Und der Überraschungsmoment liegt bei mir. Könnte eng werden.

Noch.

Nicht.

Du grinst.

»Nun«, sagst du, »Sie haben es geschafft, Glückwunsch.«

»Bitte?«

»Die Fesseln. Ich kann sehen, dass Sie die Fesseln jetzt durchhaben. Ihre Muskeln am Oberarm sind nicht mehr so angespannt. Sehr schön, Sie liegen fantastisch in der Zeit, etwas zu früh vielleicht, aber hey, ich möchte da nicht kleinlich sein.«

Du wusstest es die ganze Zeit über? Du wolltest es sogar? Nicht schlecht.

»Sie sind ein Spieler«, sage ich.

»Natürlich, ich habe in New Mexico und in Kalifornien gelebt, aber ich wurde in Vegas geboren. Es liegt mir im Blut. Und ich gebe Ihnen eine Chance. Eine kleine, zugegeben. Aber immer noch mehr, als meinem Bruder vergönnt war.«

Ein Spieler. Ja, das bist du. Aber keiner, der etwas gegen einen kleinen Vorteil einzuwenden hat. Deshalb auch das Messer. Deine Hände liegen locker auf dem Tisch. Keine zehn Zentimeter von der Smith & Wesson entfernt. Sobald meine Hände nach vorne schnellen, wirst du zur Waffe greifen. Du wirst mich den ersten Schritt machen lassen, Ehrensache, und doch sinnlos, mein Weg ist viel zu weit, keine Chance, kein Vertun. Aber was, wenn ich nicht zur Waffe greife, wenn ich den Tisch nach vorne oder zur Seite stoße, bist du schnell genug, rechnest du damit? In einem Kampf könnte ich dich besiegen, das weißt du, das Risiko willst du lieber nicht eingehen. Du magst es kalkuliert.

Genug geredet.

Stille.

Grashüpfer zirpen im Gestrüpp, das im schwachen Wind

geheime Botschaften flüstert. Links von mir im staubigen Sand rollt ein Mistkäfer sein Hab und Gut ungestüm vorwärts. Die Kugel, aus dem Dung anderer, ist doppelt so groß wie er selbst. Er stolpert unentwegt, hektisch sind die Bewegungen, auf krummen, dünnen Beinen, die das Unermüdliche unermüdlich aussehen lassen. Sein violett-schwarzer Panzer schimmert metallisch im frühen Sonnenlicht, der Morgen ist noch jung, der Arbeit noch viel.

Wen wirst du nach mir besuchen? Onkel Seamus, Frankie, Polly? Nicht schön. Gibt es einen anderen Weg? Nein, natürlich nicht, nur geradeaus, du willst mich töten und ich dich, das ist alles, ganz einfach, awesome, amazing, really? Ich habe einen Plan, und wenn du planbar bist, könnte es funktionieren. Wir werden sehen. *Jimmy Action* würde Tante Livi jetzt sagen, so wie sie es immer gesagt hat, wenn ich in der Bredouille war und mein zweites Ich brauchte, bei dem ich mir nie sicher sein konnte, wie es sich verhielt, weil es so launisch war, dieses Ich, in meiner Kindheit.

Die Luft wird immer trockener.

Wenn ich gehe, werde ich in den Highlands sein oder an einem See, das ist ausgemacht, da gibt es kein Vertun.

Du ziehst den Arm des Plattenspielers zurück, es macht klack, der Motor setzt sich langsam in Bewegung, der Plattenteller dreht sich, er braucht einen Moment, um warmzulaufen, um seine 45 Umdrehungen in der Minute zu schaffen. Er funktioniert. Nach all den Jahren noch. Tapferes, kleines Ding. Du legst die Nadel auf die Platte und ein fast vergessenes Knistern aus einer fernen Zeit mischt sich unter das Krauscheln, Wispern, Zirpen der Insekten.

Die Gitarre setzt ein, gefolgt von einer Stimme, die ich nie vergessen habe, die so rein klingt, als habe der liebe Gott sie erfunden.

Es klingt merkwürdig und zugleich seltsam vertraut an diesem Ort.

Joan Baez singt von Piraten, die auf Blechdosen schießen, von Elfen, die auf Dächern Tango tanzen und davon, dass es Zeit zu gehen ist.

So

oder

so.

»Schön, nicht«, sagst du.

»Wunderschön«, sage ich.

Peng.